JN214606

令文ヒロ子・作　トミイマサコ・絵

妖怪コンビニ ③

カップめんオバケ事件

あすなろ書房

もくじ

クラスのユーレイくん

「行ってきまーす」

アサギはママと飼いねこのうめ也に手を振って、マンションの部屋を出た。

三階から階段で一階に降りると、エントランスの壁にずらりと四角い郵便受けが並んでいる。

３０１号室、「日向」のネームシールがはってある郵便受けのとびらを、ちょこっと開けて中を見る。

アサギの手のひらぐらいのサイズになったゆうちゃんが、ぐうぐう寝ていた。チラシをうまく折りたたんで、枕のかわりにしている。

（ゆうちゃん、もうすっかりマンションのポスト生活に慣れたみたいだね）

宅配

起こさないようにそっととびらを閉め、アサギはマンションを出た。

日向アサギは小学五年生。この千鳥マンションでママと二人暮らしをはじめたのは、約二か月半前。そして引っ越してすぐ、ねこのうめ也と出会い、いっしょに住むようになった。

じつはうめ也は妖怪ねこ又で、人外用のお店——生きてる人間以外の者のためのコンビニ——ツキヨコンビニの店長をしている。

また、ゆうちゃんは行き場がない子どものユーレイ。いろいろあってアサギといっしょに住むことになったのだ。

だから日向家は今、人間二人と妖怪一人とユーレイ一人、計四人暮らしになっている。

(霊感ゼロのママは、二人と一匹だと思っているけれどね)

マンションを出ると、一階のガレージにはいつものように、チドリさんがいた。

「おはようございます」

アサギは、長いすに座ってのんびりラジオを聞いている、チドリさんにあいさつした。

この千鳥マンションの家主であるチドリさんは一階の部屋に住んでいるのだが、なぜか一日の大半をガレージですごしている。

ガレージなのに自動車を入れず、お気に入りの長いすやテーブルやスタンドライト、本棚や観葉植物のはちなどを置いている。

お天気がよほど悪くないかぎり、ここでチドリさんは本を読んだり編み物をしたり、通りかかった近所の人とおしゃべりしたりしてすごすのだ。

アサギもときどきこのガレージで、お茶を飲ませてもらったりする。なにしろ食器棚や冷蔵庫、電磁調理器なんかも完備されているのだ。なのでアサギとママはここを「チドリさんカフェ」と呼んでいる。

「おはよう、アサギちゃん」

チドリさんは大判のショールを巻いて、長いすのわきに小型の電気ストーブを置いていた。

(寒くなってきたから、ストーブ出したんだ！　もうすぐ十一月も終わりだしね……あれ？)

チドリさんの足元からガレージの前にかけて、小さな白いものが散っていた。

「チドリさん、これ、パンくず？」

「そうなの！　最近、うちのマンションにすごくきれいな小鳥がやってくるのよね。いち

ごみたいに小さくて真っ赤なの」

チドリさんはうれしそうに言った。

「へえー！　いちごみたいな小鳥！　見てみたいなあ！」

「食べるかと思ってパンくずをまいたんだけど、気に入らないみたいで寄ってこないわ。なにをあげたら食べてくれるかしらねえ……。あ、おしゃべりしてちゃ遅刻するわね！気をつけて行ってらっしゃい」

「行ってきまーす」

アサギは、今日は寄り道せず、学校に行った。

日によっては、登校前にツキヨコンビニに行くこともある。

アサギは人間なのに人外のための店、ツキヨコンビニに自由に出入りできる正会員に特別に認められている。それだけではない。

ツキヨコンビニの人気商品となっている、フードメニューを次々提案し、今や社長の宵一さんにも信頼されるコンビニ・アドバイザーという立場なのだ。

コンビニのイベント前だったりすると、気持ちはもう学校どころではない。ツキヨコンビニですごす時間はゴムみたいに自由に操作できるので、二時間ぐらい店にいても、この世の滞在時間は一分にもできる。

そのため、ついつい登校前や放課後、ツキヨコンビニに長居してしまい、心配性のうめ也には苦い顔をされている。

――朝から店でそんなに張りきってたら、学校じゃ授業中、いねむりばかりなんじゃないのか？　ツキヨコンビニに来るのは、基本学校が終わってからじゃないとダメ！

などと言われているのだ。

（ほんと、うめ也はうるさいんだから！　別にいいじゃん。宿題だって、店でちゃんとすますようにしてるのに）

とはいえ、店長にはさからえない。家では寝てばかりの飼いねこうめ也だが、ツキヨコンビニではやる気満々の店長、その上「問題のあるお客を強制的に帰らせる」権限がある。うめ也がその気になれば、アサギは店の非常口から、ぽいっと放り出されてしまうのだ。

（まあ、今日は放課後に寄るぐらいでいいか。「黒ねこちゃんまつり」も終わったとこだし。しばらくイベントの予定もないもんね）

アサギは九月の半ばに、引っ越してきて今の小学校に転校した。

現在、五年一組で特に仲のいい子はいない。休み時間も一人ですごすことが多い。

でも別にアサギは、さみしいとも思わなかった。だって、ツキヨコンビニで人外たちとワイワイすごすのがとても楽しい。やや過保護なのが困るけど、ねこ又店長のときのうめ也は、頼りになってカッコいい。

学校では今日はツキヨコンビニでおやつに何を食べようかなどと考えて、時間がすぎるのを待つ……毎日がそんな感じだったから。


「じゃあ、今からペアを作ってください！」

五時間目の国語の授業で先生がそう言ったので、あれれと思った。

授業のテーマは「インタビュー」。二人ずつペアになり、おたがいのことをたずね合って、聞いたことをまとめ、後日発表するという課題だった。

先生がそう言ったとたん、教室はわあっとはじけるようににぎやかになった。仲のいい者同士がおたがいをつかまえ、磁石でくっつくみたいにどんどんペアができていく。

人気者は何人もに囲まれ、候補者同士のじゃんけんが始まっている。仲良しグループはそのグループ内でだれとだれがペアになるべきか、大声で話し合っている。

（えーと、困った……。だれか、一人の子、いないかなあ）

　すると、クラス委員の竜崎さんが、めがねをキラつかせてこっちにやってきた。

　竜崎さんはクラスの運営に熱心な子で、常に「なにかクラスに問題が起きている気配はないか」を察知するアンテナを立てている。アサギが転校してきてすぐのときも「なにか困ったことがあったら、すぐにわたしに言ってね」と十回は言われた。

「日向さん、ペア決まってないの？」

　アサギがうなずくと、竜崎さんも、「でしょうね」とうなずいて言った。

「日向さんが入って、女子の数が奇数になったから……。ねえ、みんな。一応聞くけど、だれかまだ、ペア決まってない人いない？」

　竜崎さんが声をかけたら、一人の女の子が答えた。

「女子はみんな決まったと思う。男子も、たぶん残ってるのはユーレイくんだけじゃない？」

「ユーレイくん？」

アサギが聞くと、みんなが口々に教えてくれた。

「いるかいないかわからない、ぜんぜん目立たない子なんだよね」

「そうそう。休んでても、たぶん気がつかない」

「それでユーレイくんって呼ばれてるの？」

アサギが聞くと、竜崎さんが言い足した。

「ユーレイく……景山灯くんはおとなしいだけで、話しかけても口きかないとか、そういうのじゃないから！　ペア組んでも大丈夫だと思うよ」

竜崎さんのその言葉で、アサギが景山くんとペアになるのがもう決まった感じになり、みんないっせいに景山くんをさがした。

「あれ？　どこにいるのかな」

「さすがユーレイくん！　会いたいときは見つからないね」

だれかが笑い声をあげたとき。

「あの、もしかして、ぼく、さがされてますか？」

どこかから小さい声がした。

見ると、ひょろっと背の高いちょっと猫背の男の子が立っていた。ぼさぼさの長い前髪で顔がよく見えない。そして薄い灰色の、壁と同じ色のトレーナーを着ている。

「ユーレイくんそこにいたんだ！」

「わー、びっくりした、気配なさすぎ！」

みんなの声が重なった。景山くんは面と向かってユーレイくんと呼ばれても、平気らしい。

「はい」

とふつうに返事した。

「そんなにユーレイぽくないね！」

思わずアサギは言った。

「本物のユーレイは、もっと自己主張が強いし！」

みんなが一瞬ぽかんとなった。

（しまった、つい！）

家に住んでるユーレイの子は、かまってほしいときに姿を現し甘えてくるし、けっこう

相手するのが大変なんだよね……とは、いくら本当のことでも言えない。

「って、アハハ！　ごめん『ブルーゴーストスクール』のファンで！　つい比べちゃった！」

最近、ゆうちゃんが夢中になっている、カッコいいユーレイがいっぱい出てくる人気アニメのタイトルを言った。ゆうちゃんのために録画をしているうちに、アサギも観るようになったのだ。

「なんだー！　本物のユーレイなんて言うから、視える人かと思ってびっくりしたよー！」

「それ、アニメ好きすぎ！」

「あれ、毎週お兄ちゃんが見てるけど、そんなにおもしろい？」

話がちがった方に盛り上がりかけたとき。

「はいはい、おしゃべりはそこまで！」

先生がやってきて、話を止められた。

結局アサギは景山くんとペアを組み、おたがいをインタビューすることになった。

もそもそと二人で教室のすみっこに移動し、とりあえず向かい合って座った。

「よろしく」

アサギが言うと、

「……」

景山くんはだまって、ひょろ長い体を折るように頭を下げた。

盛り上がらない？　インタビュー

（困ったなあ。ぜんぜん、話が続かないよ）

「何人家族ですか」

「……二人」

「なにかペットは飼ってますか」

「……いいえ」

「将来なりたいものはありますか」

「……特にないです」

とりあえず、教科書でインタビューの例題になっているものを選んでいくつか聞いてみたものの、こんな感じで話が続かない。インタビュー用のメモもほぼ真っ白だ。

「「……」」

おたがいに言葉が続かなくて、だまって向かい合っていると、みんなの話す声が耳に入ってきた。

おじいちゃんの畑を手伝って大変だったけど楽しかったとか、野球選手になってメジャーリーグを目指すんだとか、どのペアもそれなりにインタビューが盛り上がっている。

(もう適当でいいから、なんか言ってくれないかなあ)

なんて思っていたら、

「……うまく話ができなくてごめん」

景山くんが、申し訳なさそうに頭をかいた。

「今度はぼくがインタビューしようか?」

「そうだね。じゃあ質問、お願いするよ」

ほっとして、アサギはうなずいた。あんまり時間もないし、ささっと答えようと座り直した。

「何人家族ですか」

景山くんが聞いてきた。

「えっと、二人……」

ちょっと考えて答えた。

(ママと二人……でいいんだよね。おばあちゃんとパパはもう、別の家族だよね)

「なにかペットを飼っていますか」

「ねこを一匹……」

(うめ也って、同居家族かな？　ペットではないなあ、ちゃんと仕事も持ってるし……。

でも、ペットとしか言えないか)

「将来なりたいものはありますか」

「特にないです……」

(今、ツキヨコンビニのアドバイザーだし、将来も続けたいんだけど……これも言えないよ)

そこまで答えて、アサギはインタビューに答えるのって案外むずかしいことに気がついた。

適当に答えたらいいとは思うものの、ウソはつきたくないと思ったら、景山くんとほぼ同じ受け答えになってしまう。

「……ええと、それじゃ、なにをしている時が、一番楽しいですか」

これなら答えやすい。アサギはほっとして、返事した。

「コンビニクッキング！」

すると、ん？　と景山くんが顔を上げた。

「コンビニクッキング？　って、なに？」

「あのね、コンビニで売ってる食べ物を工夫して組み合わせて、おいしいものを作るの」

「へえ、たとえば？」

景山くんが、メモ用紙を引き寄せた。

「いろいろ考えたけど、やっぱりヒットはカルボナーラ風イエローうどん。うどんにパスタ用のカルボナーラソースとチーズをのせて温めて、温泉卵をのっけたやつ。黄色い料理が大好きな友だちがいて、その人が風邪気味だったから、元気が出るイエローであったかいおいしいものはできないかって考えたんだ。あ、チューブのニンニクも少し入れた」

大喜びで食べていた、ばなにーさん――ツキヨコンビニの常連で黄色が大好き、いつもバナナ皮のスーツを着ている美形妖怪――のことを思い出しながら説明した。

「へええー！　それはとてもいいね」

景山くんが大きくうなずいてくれたので、アサギはうれしくなって、さらに言った。

「和風好きな友だちもいたから、その人たちにはチーズはやめてしょうゆをまぶしたかつおぶしをかけたんだ。もう、めっちゃ喜んでもらったよ」

しょうゆ味のものが大好き、トウロウ5さん——こちらもツキヨコンビニの常連で五人組の岩石妖怪。ふだんは石灯籠の形に組み合わさって、どこかの日本庭園にいる——が、湯気でおどるかつおぶしにおおはしゃぎだった！

「土羅蔵さ……ええと、歯が弱い人には、食べやすいようにうどんを短く切ってあげて……」

話しながら、アサギはあれ？　と思った。

「……」

景山くんが腕組みして、なにか考えこんでいた。

（さっきまでいい感じで聞いてくれてたのに。しゃべりすぎたかな？）

「それさ、カップうどんでやってみてもいいかも」

ふいに景山くんがアサギの目を見て言った。

「え？　カップうどんにカルボナーラソース？」

「うん、かつおだしが合うかもしれない。お湯を少なめにして粉末スープをといてめんにまぜ、その上にあたためたソースをかけたらどうかな」

　垂らした前髪越しに、景山くんの瞳がキラキラしているのが見える。

「ああ、それおもしろいね！　カップうどんは気がつかなかった」

　アサギが言うと、景山くんの話し方がどんどんイキイキしてきた。

「ぼくもカルボナーラソースには目をつけなかったよ。待てよ。お湯じゃなくあたためた牛乳を使うのはどうだろうか。それに温泉卵をのっけるとか」

　景山くんが、うんうんとうなずきながらメモ用紙に書きつけた。

「トッピングに粉チーズと黒コショウ……？　いや、和風で刻みねぎとかつおのけずりぶしの方がいいか……」

「景山くんも、もしかしてコンビニクッキングが好きなの？」

　すると、はっと景山くんがわれに返った。

「……ごめん、なんか夢中になっちゃって。ぼくは、カップめんが大好きなんだ」

「へぇえ！」

「初めはいろんなカップめんの食べ比べをしてた。販売してる地方によって味つけがちがうとか、薬味はなにを使ってるのかとか調べてたんだけど、だんだん食べ方のアレンジを考えるのがおもしろくなって」

「お湯の代わりに牛乳を入れたりするの？　それっておいしい？」

「おいしいよ。カレーヌードルに牛乳とマヨネーズ、入れたりさ」

「なにそれ？　やってみたい!!」

アサギは身を乗り出した。


結局、二人ともインタビューそっちのけでカップめんクッキングの話で盛り上がっているうちに、授業時間が終わってしまった。

「来週、発表してもらいます。それぞれ、インタビューした内容をまとめておいてください」

先生に言われて、アサギは景山くんにたずねた。

「景山くん、インタビューどうしよう？　さっき、話したこと、そのまままとめていいかな？」

「……いいけど。でも、できればあんまり……くわしくは紹介しないでほしいな」

「え、どうして？　カップめんのアレンジの話したら、みんな感心すると思うけど」

すると景山くんがうつむいた。

「……感心されたくないんだ。っていうか、注目されたくない」

それで、はっとした。

（もしかして景山くんって、わざと目立たないようにしてるのかな？）

さっきカップめんの話をしていた景山くんは、明るくて生き生きしていておもしろかった。

まったく「ユーレイくん」ぽくなかった。

アサギはあまり学校で目立たないようにしているけど、それは目立ってなにか言われたり、いじられたりがめんどうだからだ。景山くんもそうしているのには、なにか理由があるのかもしれない。

「わかった。カップめんが好きでいろいろ食べてます、ぐらいならいい？」

「うん。よろしく」

そう言って自分の席にもどるために立ち上がった景山くんを、

「待って！」

アサギは引き止めた。

「よく考えたらわたしも……あんまり目立ちたくないんだよね。今の話、薄めにしておいてほしいな」

「じゃあ、コンビニで新製品見るのが好き……ぐらいでいい？」

「そんな感じでいい！」

「わかった」

うなずくと景山くんは口を閉じ、アサギに背中を向けた。

とたんにすうっと、気配が薄くなったように見えた。

自分の席につくころには、景山くんはすっかりいつもの感じ……いるのかいないのかわからないような、ユーレイくんにもどっていた。

カップうどんを買いたい！

「来たよー」

　放課後、学校からそのままツキヨコンビニに行った。

「いらっしゃいませ！　アサギさん」

　ツキヨコンビニの店員、ゾンビの氷くんが声をかけてきた。

　顔も体も灰色だけど、今日も元気そうだ。むきだしになった目玉やぐらぐらの歯がぬけ落ちそうなほど、にっこりと笑ってくれた。

　アルバイトのスライム型妖怪、もちこちゃんもシュルッと床をすべるようにやってきたかと思うと、のばした触手でアサギのランドセルとサブバッグを受けとる。

「アサギおねえちゃん、来た！」

イートインスペースから、歓声を上げたのはゆうちゃん。

千鳥マンションの郵便受けでたっぷり寝て、目がさめたらツキヨコンビニでアサギが学校から帰ってくるのを待つのが、平日の日課になっている。

このところ人外向けのおやつをたくさん食べているせいか、顔がふっくら、ほっぺたもつやつやだ。

ゆうちゃんを囲むようにして座っているのは、土羅蔵さんとその三人の娘、花美羅さん、美射奈さん、絵笛芽羅さんのドラキュラ系モンスターの土羅蔵ファミリー。

吸血鬼ドラキュラの親族とはいえ、四人とも生き血が嫌いでコーヒーが主食。土羅蔵さんはいつもシックな灰色のスーツにマント姿の、物静かで品のいい老紳士だが、三姉妹はカラフルなおしゃれが大好き。

それぞれにテーマカラーがあり、長女の花美羅さんはトマトをつぶしたみたいな真っ赤な巻き毛、次女の美射奈さんはいちごミルク色のショートカット、三女の絵笛芽羅さんはオレンジジュース色のサラサラロングヘア、それぞれ髪と同じ色のマントをつけている。

そしてこの三人は、おしゃれと同じぐらいおしゃべりが大好きだ。今も夢中になって話し

ている。

「だからさー、マコはカイトとカップルになるって」

「でもマコはソウキにひかれてるよ。カイトはただの友だちだって」

最近、夢中になっている恋愛リアリティ番組の話題だ。

キレイなおにいさん、おねえさんたちが、おしゃれなコテージでいっしょに生活して、その間にだれとだれが恋してカップルになるかを、視聴者が予想して当てるという人気番組だ。

初めは恋愛ドラマ好きの美射奈さんと絵笛芽羅さんで盛り上がっていたのだが、だんだんほかのみんなも見るようになり、ばなにーさんや氷くん、もちこちゃん、今や小さいゆうちゃんですらいっしょに予想し合っている。

「ばなにーさんはどう思う？」

絵笛芽羅さんが聞いた。

「カイトかな。友だちだって思ってたけど、気がついたらいつもそばにいてくれた……って感じでカップル成立展開希望」

頭まですっぽり包まれた、バナナの皮スーツ越しにばなにーさんがそう答えると、絵笛芽羅さんがわっと勢いづいた。

「ほうら、ばなにーさんもそう思うって！　やっぱりカイトだよ！」

「ゆうちゃんはソウキの方が好き。クールでカッコいいもん」

ゆうちゃんが手を上げてそう言うと、

「ゆうちゃん、わかってるじゃん！　一見冷たそうに見えるけど、じつは優しいっていうの、いつも優しい人より、きゅんとなるしね」

ソウキ派の美射奈さんが、キラキラジュエリーのついた爪の先で、ゆうちゃんのほっぺたを軽くつっついた。

「二人とも読みが甘いなあ。一番大人のシュンだよ。アサギもそう思わない？」

花美羅さんが燃えるように赤い豊かな巻き毛をかきあげつつ聞いてきた。

「んー、わかんない」

アサギはそっけなく答えてから、氷くんにたずねた。

「それよりカップうどんって、ない？　やってみたいアレンジがあるんだ」

アサギは景山くんが言ったカップめんアレンジ――カップうどんにカルボナーラソースと牛乳と温泉卵を入れる――のを試したくてたまらなかったのだ。

「アサギは恋愛なんてものにはまだまだ興味がないんだよ。コンビニクッキングが一番好きなんだよね」

そう言って棚の裏から笑顔で現れたのは、青いエプロンをつけたうめ也だった。

ツキヨコンビニでのうめ也は、二本足でしゃきしゃき歩き、多くの仕事をこなす、有能なねこ又店長だ。

「カップうどんがいいの？『おあげが燃える！爆裂きつね火うどん』はあるけど、これ、お湯を入れたらきつね火が燃えあがるやつだし、人間にはあぶないなあ。ラーメンじゃダメなのか？」

カップめんの並ぶコーナーを確かめながら、うめ也がたずねた。

「ダメ。カップめんにくわしい友だち……クラスの子が考えたアレンジだから、やってみたいんだけどなあ」

「おや、アサギさんが人間の友だちの話をするのは初めてですね。仲良しができたんですか？」

　さっきから娘たちの盛り上がる話題に入れなくて、いごこちが悪そうにコーヒーをすすっていた土羅蔵さんが、ほっとしたように口を開いた。

「仲良しってほど親しくないけどさ、景山くんって子といろんなカップめんアレンジの話で盛り上がったんだよ」

「景山……くん？」

　うめ也が、ぴくっとひげを動かした。

「それ、男の子よね？　え、ボーイフレンドができたの？」

「どんな子？　カッコいい？　かわいいタイプ？」

　美射奈さんと絵笛芽羅さんが立ち上がって、同時にアサギにたずねた。ゆうちゃんも目を輝かせてぴょんと宙に飛びあがった。

「ええ？　今日初めて話したんだし、まだどんな子かわからないよ。なんでか、あまりクラスで目立たないようにしてるし、前髪が長いから顔もよく見えないし」

「顔もよくわからないのに、話が盛り上がったってことは、よほど気が合うってことかも」

「彼は目立つのが苦手……物静かで知的で勉強熱心なタイプなの？」

（えーっと、こういうのって、どう答えたらいいかわからないんだけど）

アサギがとまどっていると、

「お客さま、お静かに」

うめ也のきんと冷えた声に、みんな一瞬しんとなった。

いつも親切なうめ也店長が、お客相手にそんな声を出すのは聞いたことがなかったのだ。

うめ也の目は吊りあがっていて、二つに分かれたしっぽが、ビシバシと空気を切り裂くように激しく左右にゆれていた。

「うめ也店長。アサギに男の子の友だちができたぐらいで、そんなにピリつかなくてもいいんじゃないか？　今にも大化けねこに変化しそう！」

ばなにーさんがからかった。

「そうだよ。アサギのことになったらいつもそう！　心配しすぎ」

「うめ也は過保護パパすぎだよ」

美射奈さんと絵笛芽羅さんもいっしょになって言いつのった。

「怒ってないですよ！　ほら」

うめ也が、引きつった笑顔で答えた。

「アサギに人間の友だちができたのは喜ばしいことです。だけどその相手が男の子だっていうだけで、ボーイフレンドだのカレシだのって騒ぐのはちがうかなと……」

「それもそうね」

花美羅さんが、長女らしく落ち着いたようすで妹たちに言った。

「美射奈も絵笛芽羅も、なんでも恋愛話にするんじゃないわよ。アサギの生活は、ネット配信の恋愛番組じゃないんだから」

「もう帰るね」

話がヘンな方向に長引きそうなので、アサギはもちこちゃんからランドセルを受け取った。

「おねえちゃん、もう帰るの？　今来たばっかりなのに」

ゆうちゃんが、ぷうっとふくれた。

「ゆうちゃんはみんなとお話ししてて。わたしは人間が食べて大丈夫なカップうどん、買いに行く。またね！」

アサギはみんなに手を振って、ツキヨコンビニを出た。

店を出ると、そこは静かな住宅街だ。空き家が多くて、あまり人が通らない。

ツキヨコンビニは、ふつうの人間には見えないし入れない。知らない人が見たら、アサギは草ぼうぼうの空き地から、とつぜん出てきたように見えるだろう。

(ナインマートに行こう。カップめんならあそこが一番品ぞろえがいいし)


ナインマートに行くと、アサギはさっそく、カップめんのコーナーに行った。

ツキヨコンビニほどおもしろくて刺激的なものは売ってないけど、なにを手に取っても「人間にとって危険」なものではないのは、人間界の店のいいところだ。

(「究極昆布だしきつねうどん」に「おあげが大きい！　きつね」に「だしまろやかたまごとじうどん」なんていうのもあるのか！　どうしよう。迷うなあ)

「日向……さん？」

名前を呼ばれて振り返った。後ろに紺色のランドセルをしょった景山くんが立っていた。

「あれ？　景山くん？」

「日向さんも、カップめん、買いに来たの？」

景山くんが、アサギがしゃがみこんで見入っていたコーナーを指さして聞いた。

「うん！　景山くんが言った、カルボナーラソースと牛乳と温泉卵を使う、カップうどんアレンジがどうしてもやりたくなってさ！」

「日向さんも？　じつはぼくもなんだ。すぐに試したくなってさ」

アサギと景山くんは、アハハ！　といっしょに笑った。

「うどんはどれがいいかな？」

「そうだなあ。『だしまろやか』シリーズがいいかも。牛乳に合いそうだ」

「じゃあこれにしよう」

アサギと景山くんは同じカップうどんを一個ずつ手に取った。

「あと、カルボナーラソースと温泉卵を買わないと」

「わたしも買わなきゃ……っと、ああっ！」

急に大きな声をあげたアサギに景山くんが首をかしげた。

「どうしたの？」

「……お金、あんまり持ってなかった……」

（しまったなあ！　カルボナーラソースとかはツキヨコンビニで買っておけばよかった。Ｊペイなら、まだけっこうあったのに！）

ツキヨコンビニでは人外用のお金、Ｊペイで買い物をする。人外に人気のフードメニューを考えたアサギは、その謝礼としてもらったＪペイをけっこうたくさん持っているのだ。

しかし人間が使うリアルの方のお金……おこづかいはあまり残ってないことを忘れていた。

「カップうどんを買ったら、カルボナーラソースと温泉卵が買えない……」

アサギは肩を落とした。

「しょうがないから、アレンジを試すのはあきらめるよ。残念……」

すると、景山くんがしばらくうーんと考えていたが、やがてこう言った。

「じゃあさ、ぼくがカルボナーラソースと温泉卵を買う。日向さんはカップうどんを買って。それで……よかったら今からぼくの家でいっしょにアレンジを試さない？　家には牛乳も調味料もそろってるし」

「え、いいの？」

「だって、アイデアがひらめいたら、すぐに試したいでしょ？」

アサギは、コクコクとうなずいた。

「よし、じゃ、行こう。家はこのすぐ裏なんだ」

「うん!!」

アサギと景山くんはうなずき合って、レジカウンターに向かった。

こういうのが、友だちなのかもしれない

（え、ここ、景山（かげやま）くんの家だったんだ！）

アサギは、その屋敷（やしき）を前に、息をのんだ。

ナインマートの裏通（うらどお）りは、静（しず）かな住宅街（じゅうたくがい）になるのだが、その中でもひときわ古くてりっぱな家だ。塀（へい）の続（つづ）きに白い壁（かべ）の土蔵（どぞう）があるのが珍（めずら）しく、覚（おぼ）えていたのだ。

「どうぞ」

景山（かげやま）くんがむぞうさに門を開けてくれた。

（めっちゃ広い！　お寺みたいな家だなあ）

門から玄関（げんかん）までがけっこう遠い。どの木もうっそうとしげっている。石で囲（かこ）まれた池らしいものがあるけれど、のび放題にのびた木の枝（えだ）や草のかげになってよく見えない。

（トウロウ5さんがいそうなお庭だなあ。石灯籠の姿で、どこかのお庭に住みついてるらしいし）

景山くんが玄関の戸を開けたら、そこはまた広かった。ふくざつな彫刻をほどこした木製のついたてや、子どもが一人すっぽり隠れられそうな、青い絵柄の大きなつぼが置いてある。

庭はあまり手入れされていない感じだったが、家の中は板の間もろうかもピカピカで、きちんとそうじしてある。

「お、おじゃまします……」

（うわー。広い！　こんなお家、初めてだよ）

板の間に上がるのをちゅうちょしていると、

「いま、だれもいないから気にしないで」

言いながら景山くんが、スリッパを出してくれた。

「キッチンはこっちなんだ」

景山くんにうながされて、しんと静まり返った薄暗いろうかを歩いていくと、オレンジ色の大小のビーズがつらなった珠のれんが見えた。それをくぐったら、広いキッチンが現れた。

部屋の真ん中にビニールクロスのかかったテーブル、それを囲む木のいす。冷蔵庫には、カップラーメンをかたどった小さいマグネットがいっぱいくっついている。

食器洗い機もないしＩＨコンロでもないし、冷蔵庫もオーブンもかなり旧式。だが大きい窓から庭も見えてながめがいい、このゆったりキッチンで料理するのは楽しそうだ。

「じゃあ、始めようか」

景山くんがランドセルを置くと、おもむろに前髪を束ね、ヘアゴムでまとめた。

ゆで卵みたいなつるつるのひたいと、筆で描いたようなきれいな眉が現れた。アーモンド形の目は長いまつげに囲まれて、瞳は大きくキラキラしていた。

(あ、あれ？　景山くんってこんな顔なの？)

想像していた顔とは、かなりふんいきがちがった。ユーレイどころか、アイドル志望と言ってもおかしくない感じだ。

「まずは牛乳を出して、と。あとは粉チーズとかスパイスを用意して……」

景山くんが使う食材の用意を始めたとき。ジャラリと珠のれんのビーズをかきあげる音がした。

「……長野さん……じゃないのか？」

声がした方を見ると、背の高い男の人が体をかたむけて、いぶかしげな顔でキッチンをのぞいていた。

「お父さん。いたんだ……」

景山くんがつかんでいた牛乳パックを、テーブルに置いた。

（景山くんのお父さん？　あれ？　なんか見たことある……）

髪はぼさぼさでめがねをかけているが、目鼻立ちがすっきりしててカッコいい。景山くんによく似ている、というだけではなく、前から知っている顔のような気がして、アサギは首をかしげた。

「長野さんは、そうじと買い物をすませて、いつも通りお昼で帰ってるよ。お父さん、今日はいないと思ってたから……えと……こちら同じクラスの日向さん」

景山くんが、もごもごとアサギを紹介した。

「テレビの収録日が変更になってね。原稿を書かなくちゃいけなくて部屋にこもってた。……トモルが友だちを連れてくるなんて珍しいな」

お父さんは、けだるそうにめがねを指で押しあげ、アサギを見た。

「こんにちは。おじゃましてま……」

言いかけて気がついた。

（ああっ！　この人、テレビで見てる、あの景山ヒロキ先生だ！）

景山ヒロキ先生は、人気コメンテーターの社会学者だ。いろんな情報番組でしょっちゅう顔を見る。イケメンでさわやかでおしゃれ、むずかしいことをやさしく説明してくれるというので、女の人に人気がある。アサギのママも大好きだ。

「か、景山くん、お父さんて、あの……テレビで……」

口をパクパク動かしていると、お父さんがすっと顔をそむけた。

「遊ぶのはいいが、あまり騒がないでくれよ。集中できなくなるから」

そう言ってそっけなく、キッチンから顔を引っこめた。

（あ、あれ？　なんかテレビと印象ちがう）

「テレビじゃすごく明るくて親切そうだけど、家ではあんな感じなんだよね」

景山くんが申し訳なさそうに言った。

「原稿のしめ切り前は特に感じ悪くて……だからぼく、家に友だちを呼んだこともないんだよね」

話しながら景山くんは、どんよりした顔つきになった。

「続きやろうか。……お父さんがまたなんか言ってきたらごめんね……」

「あのさ、よかったらこの続き、うちの家でしない？」

アサギは、そう言った。

「マンションだけど、三階はうちしか住んでないし、二階の人は夜遅くしか帰ってこない。少々にぎやかにしても大丈夫だよ。ママもまだ仕事から帰ってこないし」

「え、いいの？」

「いいよ。だって、アイデアがひらめいたら、すぐに試したいでしょ？」

景山くんが、ぎゅっと口をすぼめて、うれしそうにこっくりうなずいた。

景山くんは使いたい食材を保冷バッグにぎっしりつめこんで、アサギの家にやってきた。

「おじゃまします」

だれもいない千鳥マンション３０１号室にトモルはおじぎすると、ぬいだ靴をきちんとそろえて上がった。

「使いやすそうないいキッチンだね！　あ、このオーブンレンジ、いいな！」

キッチンを見るなり、景山くんの目がぱちっと開いて瞳に光がともった。

「景山くんのところに比べたら、めっちゃせまいよ。料理するときは折り畳みのキッチンワゴン広げて、食材置いたりしてるんだ。あ、エプロン使う？」

「うん、貸して」

料理を始めると、景山くんはギアチェンジしたみたいに動きが軽やかになり、口調もきびきびしてきた。

「日向さんがカルボナーラソースをレンジで加熱している間に、ぼくは牛乳をあたためよう！　おっとその前にスパイス類を出しておいて、と」

景山くんは保冷バッグからどんどん食材を取り出し、使いやすいように並べた。

「刻みねぎとかつおぶしも持ってきたの？」

「せっかくだから和風のも作ろうと思ってさ」

「あ、うち、だしじょうゆがあるんだ！　チドリさん――さっきガレージのとこであいさつしたおばあちゃん――にもらってまだ使ってなくて。それ使ってみようか？」

「それならかつおぶしとねぎを、そのしょうゆであえておいてトッピングとかどう？」

「やろうやろう！　……ねえ、カレー粉かけたバージョンってどう？」

「それもいいね!!　少しずつ作ってみよう！」

作業しながら、ピンポンみたいにアイデアのラリーが続く。

（なんかすごい。だれかといっしょに料理するって、こんなにおもしろいんだ！）

できたアレンジ料理は、どれもおいしかった。

アサギと景山くんは食べながらも夢中になって、ほかのトッピングのアイデアを出し合った。

そして、いっしょに後片づけを始めたとき、アサギは気になっていたことを、景山くんにたずねた。

「あのさ、景山くんが学校で注目されたくないのは……ひょっとしてお父さんが有名人なのがバレないように？」

「そうだよ」

食器を洗いながら、景山くんがあっさりうなずいた。

「ぼく、四年のときに転校してきたんだけど、前の学校で、そこをずいぶんいじられて、イヤだったな。あと、お父さん見たさに急にクラスの女子が家に押しかけてくるのも、困ったよ。今の家……おじいちゃんの家なんだけど、おじいちゃんが亡くなったのを機にお父さんと二人で越してきたんだ。だから今の学校では、気配消していこうと思ってさ」

「気配消すの、めっちゃうまいね！」

「小さいころからめんどくさいこと言われないように、気配消すのは得意かも。妹はそういうの、できなくてさ。タイミングのよくないときに限って騒ぐし、そうなるとお父さんが怒りだしてお母さんとけんかになって……、あのころは大変だったなあ」

しみじみと景山くんが言った。

「わたしはお母さんと二人でここに引っ越してきたの」

景山くんの話を聞いていたら、アサギは自分のことを話したくなった。

「前の学校って、女子ばっかの学校だったんだけど……わたし、はじかれてたの。ふつうに思ったこと言ったら、こわいとか、ヘンな子とか言われてさ。だから今の学校でも、だれとも本気で話さないようにしてたし、あんまり人間と友だちになれる気がしなかった」

「ははは！　人間と友だちになれる気がしなかった、は、いいね」

景山くんがゆかいそうに、笑った。

「ぼくもそうかな！　こんなにふつうに思ってること話せる人間？　日向さんが初めてかも」

「こういうのが友だちっていうのかなあ」

ぽろっとそう言ったら、景山くんが息をのんで一瞬かたまった。

(あれ、ヘンなこと言っちゃったかな？)

アサギがドキッとしたとき。

「……うん、そうなんじゃない？」

景山くんは大きく息をして、ゆっくり返事した。

「こういうのが、友だちなのかもしれないって、ぼくも思った」

アサギと景山くんは目と目を合わせた。

（友だち、なんだ）

そう思って見た景山くんの顔は、今日初めて言葉を交わした相手とは思えない感じ。ずーっと前から知ってる人みたいに見えるのが不思議だった。

「じゃあ、今日から友だち！　景山くんとは本気で話すよ」

「ぼくも日向さんの前では気配消さないよ。だけど……学校では今まで通りでいかない？　急にユーレイやめたら、目立つかもだし」

「ああ、そうだね！　それでお父さんのことバレちゃって、トモルくんいろいろ言われちゃったらめんどうだもんね。…っと、景山くんのこと名前呼びしちゃった。ごめん」

アサギがあやまると、景山くんが笑顔で言った。

「いや、いいよ！　じゃあぼくも二人だけの友だちタイムのときは、名前呼びしていい？　アサギさん？」

「せっかくの友だちタイムで『アサギさん』って、固いかなあ。でも『アサギちゃん』もピンとこない。『アサギ』でいいよ！」

「じゃ、こっちも『トモル』で」

「アサギ」

「トモル」

うんうん、とうなずき合ったとき、アサギの部屋のドアのすきまから、うめ也の顔が見えた。

「うめ也!!」

うめ也は射るような目でこっちをにらんでいた。うめ也の上にはゆうちゃんの顔も見える。

(二人とも、いつの間にここに？)

トモル先生のクッキング教室

「うめ也(や)って？」

振(ふ)り返ったトモルは、うめ也(や)と目が合うなり歓声(かんせい)を上げた。

「わ、ねこちゃんだあ！　ひゃっほう！」

「え、トモル……、ねこ、好(す)きなの？」

トモルはうめ也(や)の前に歩み寄(よ)り、しゃがみこんだ。

「真っ白できれいな子だね！　ひたいのもようも花みたいでかわいい。目がきりっとしてかっこいい！　男の子？」

目尻(めじり)を下げて、うめ也(や)をほめちぎる。

「う、うん。イケメンでしょ？」

「そうだね！　うめ也くん、すっごくきれいでかわいくてカッコいいね！」

そこまでほめられて気をよくしたのか、うめ也はするっとキッチンに入ってきた。ふさふさのしっぽをぴんと立てて、つんとあごを上げ、トモルの前を通りすぎる。

「うわあ、しっぽもりっぱだ！　いいなあ、お父さん、動物が嫌いでさ。ぼくもまたねこと暮らしたいんだけどなあ」

「前はねこといっしょだったの？」

「うん。ぼく、ねこといっしょに大きくなったんだよ。まあ、いろいろあってさ、結局ねこも妹も、お母さんが連れてっちゃったけどね」

「そうなんだ……」

アサギはうめ也を抱き上げた。

「はい。抱っこしてもいいよ」

「え、いいの？　いやがらない？」

「いやがらないよ。ねえ、うめ也」

アサギはうめ也の目をじいっと見て、そう聞いた。うめ也はぶうっとむくれた顔つきだったが、しかたなさそうにうなずいた。

「あれ？　この子、今、うんってうなずかなかった？」

「うめ也はとってもかしこいからね、それぐらいはするよ。はい、どうぞ！」

足をちぢめて微妙に体を固くしているうめ也を、トモルにわたした。トモルはそっとうめ也を胸に抱くと、それはうれしそうにうめ也のひたいをなでたり、あごをくすぐったりした。

ねこといっしょに育ったというだけあって、トモルのなで方はとてもうまかった。

うめ也は、気持ちよさそうに目を閉じて、のどを鳴らし始めた。

「ううっ、うめ也くん、ゴロゴロ言ってる……」

感激するトモルのようすを見ていたゆうちゃんが、大きな声で言った。

「おねえちゃんのカレシ、ねこに優しいね！」

ゆうちゃんのすがたはトモルに見えていないし、声も聞こえていないとわかっていても、アサギはドキンとした。

するとうめ也がかっと目を開いて、ドンとトモルの胸を蹴り、腕から飛び出した。

「あれえ？　イヤなところさわったかなあ？　ごめんね」

トモルは頭をかいて、目を吊り上げているうめ也にあやまった。

（ゆうちゃん、うめ也、ちがう！　カレシじゃない！　友だちだよ！）

アサギが心の中で叫んだとき。

「あれ、アサギ！　お客さん？」

声がして顔を上げたら、ママが入り口で靴をぬいでいた。

「アサギ、お友だち？　あら、お料理してたの？」

ママはエプロンをつけて立っている二人を見比べた。

「あ、うん。同じクラスの景山トモルくん。いっしょにカップめんアレンジクッキングしてたんだ」

「そう！　気の合う友だちができたのね」

ママは口元をほころばせた。

「よく来てくれたわねえ。景山くん。そう、仲良しなのね！　うんうんうん。お家は近くなの？」

「はい。三丁目……ナインマートの裏通りです」

「さっき連れていってもらったけど、景山くんのお家は、すっごいお屋敷なんだよ。蔵が二つ、庭に並んでるの！」

「え？　そのあたりで土蔵のある家で、景山さんって？　もしかして」

ママがじーっとトモルの顔を見つめた。

「景山ヒロキ先生がお父さま……ってこと？」

気まずそうにトモルがうつむいた。

「まあ、そう、なんですけど……」

「ああ、やっぱり！　お宅のご近所の方がうちの病院の患者さんでね。前にそんなことをおっしゃってたの。あれ、本当だったのね！　わあ、『フライデー・ラン』いつも見てて！　すてきなお父さまよねえ！　わたし景山先生のファン……」

はしゃぎそうになったママの腕を、アサギは突っついた。そして思い切り怖い顔で、頭を横に振って見せた。

どこまで伝わったのかわからないけれど、ママはあわてて話題を変えた。

「えーと、カップめんでなにか作ってたって？　景山くん、お料理好きなの？」

「いや、カップめんでいろいろ工夫するのが好きなだけです」

「トモル、すごいんだよ。カルボナーラカップうどんもすごくおいしかった！」

「へえ、えらいわねえ。わたしねえ、すごくお料理が苦手なの。アサギがスーパーやコンビニのお惣菜でいいって言うから、もうできあいのもの頼りにしちゃって。今日もコレだし」

ママはエコバッグから、レトルトのクリームシチューを出して見せた。

「作るのって生野菜をバサーッと盛った大ざっぱなサラダぐらいかな？　あとは毎日、ご飯炊くだけだよね……て、ああっ！　ご飯炊くの忘れてる！」

ママが飛び上がった。

「今からすぐにご飯を……ああっ、しまったお米が足りないんだった！　今すぐ、パックの買ってくるから！　景山くんは、よければアサギとここで遊んでて。あ、でも時間！　もう帰らないとお家の人が心配するかな？」

今降ろしたばかりのショルダーバッグを肩に引っかけて、ママがそう言った。

「時間なら大丈夫です。父はそういうのまったく気にしない人だし、夕ご飯もヘルパーさんの作り置きを適当に食べるんで……。それよりも」

トモルがキリッとまなじりを上げて言った。

「ぼくなら、ご飯がなくても、ここにある材料で、じゅうぶん夕ご飯を作れますよ」

「「え？」」

ママとアサギの声が重なった。

「どうやって？　パンとかパスタとかも買い置きがないよ」

「袋めんの塩ラーメン、そこの棚に置いてあるの見えるんですけど。それにコーンの缶詰」

トモルが冷蔵庫の横の棚に置いてある、それらを指さして言った。

「そしてレトルトのクリームシチュー買ってきましたね？　これだけあれば、ラーメンのグラタンができますよ」

「ラーメンのグラタン?!」

「かんたんですよ。耐熱皿にめんをくだいて入れて、そこに付属調味料とシチューをまぜたのをかけてオーブントースターで十分。ぼくはシーフードヌードルとホワイトソースで試したんですけど、おいしかったです。チーズとか野菜も入れたんですけどね」

「チーズある!!　スライスチーズ！　野菜も少しあるよ」

アサギが冷蔵庫を開けて確かめた。

「卵はある？」

「ええと三個ある」

「よし。しょうゆ味カップラーメンも、あの棚にありますよね。溶き卵に粉末スープをまぜたものを入れ、ぐらぐらに沸いたお湯を注いだら、ふわっふわの卵とじヌードルになりますよ。作りましょうか！」

トモルは返事も聞かずに、さっと腕まくりした。

そこからのトモルはすごかった。

ママとアサギに手順を説明しつつ、笑顔でサクサクと料理を作った。

（うわあ、「トモル先生のクッキング教室」って感じ！）

あっという間にあつあつのチーズと野菜入りのラーメングラタンと、ふわふわ卵とじヌードルも作ってくれた。

「こんなにおいしいものを、あっというまに……作れるなんて魔法みたい……」

できた料理を食べながら、ママはしみじみと言った。

「一生懸命レシピ通りにやっても、どうも味が薄い気がして不安になって塩を足したらすっごく塩からくなったり。火を消すタイミングがつかめなくて、炒めすぎてこがしたり……。料理ってわかんないの。ほんとに」

ママがはーっとため息をついた。

「でも、これ、かんたんですぐにできておいしくて。ビックリしちゃった」

「カップめんアレンジは、もともとの味がしっかり決まってるし、手順もシンプルだから、失敗が少ないんです。適当な食材を追加して使ってもハズレがないし、おもしろいですよ」

「そうね！　こんなに楽しそうなお料理は初めてかも」

「今日みたいなのは濃いめのジャンクっぽい味ですけど、昆布水……昆布を水にひと晩つけておいたものを使ったカップうどんのつけめんなんて、お店の味ですから！」

「え、なにそれ、教えてくれる？」

ママがメモを取り出した。

（うーん、景山ヒロキ先生がテレビで話してる感じにそっくり！　トモルも先生に向いてるのかも！）

アサギは感心して、トモルとママの会話を聞いていた。

トモルはママとも友だちみたいに話がはずんでいたが、外も暗くなったのでさすがに帰ることになった。

「アサギと仲良くしてくれて、ありがとう！　また遊びに来てね！」

「トモル、また、カップめんアレンジしようね！　今度はわたしが考えた、コンビニクッキングメニュー教えるよ！」

「うん、またね！　アサギママさんもうめ也くんもありがとうございました！」

アサギとママ、それにゆうちゃん、うめ也に見送られて、トモルは帰っていった。

カップめん盗難事件

「料理がうまくて、アサギのママと仲良くできそうで、ねこが大好き。その子、いいよー！　アサギにぴったりじゃない？」

美射奈さんが、目をキラキラさせて「いいよ、その子いいよ」をくり返した。

「このお父さんに顔がそっくり？　やだ、美少年ってことよね！」

タブレットで、景山ヒロキ先生がゲスト出演する番組を見ながら、絵笛芽羅さんがほほに手を当てた。

「どれどれ」

ばなにーさんもタブレットをのぞきこむ。

「大人になったらこんな感じになる可能性が高いってことだな。なかなかいいじゃないか」

「だからカレシじゃなくて友だちだって」

アサギはうんざりして、またそう言い返した。

「今は友だちでも、将来カレシになるかもしれないわよ」

「そうよ！」

いくら言い返しても、美射奈さんと絵笛芽羅さんは平気だ。ますますうれしそうにそんなことを言う。

「だから、そういうの、いいんだって！」

今日は土曜で、学校がない日だ。

朝ご飯の後、ツキヨコンビニにやってきたら、すでにこの話でもちきりだった。先に来ていたゆうちゃんが、昨日あったことを細かくみんなに報告していたのだ。

「おや、アサギさん、ボーイフレンドができたんですか？」

すいっとおしゃれなスーツ姿の老人が現れた。宵一さん、ツキヨコンビニの社長だ。

「それで白ねこくんが、上の空で仕事をしているんだね。ははは」

「社長！」

カウンターの向こうで作業をしていたうめ也がすっ飛んできた。

「ぼくは決して上の空でなんか、仕事してないですよ！」

「まあまあ、みなさん、あまりうめ也店長をからかわないであげてくださいよ」

土羅蔵さんが、見かねてそう言った。

「うめ也店長の心配な気持ちはわかりますよ。わたしだって娘たちが、どういう相手とおつきあいをするのか、非常に気になりますからね」

「お父さん、気にしすぎよ。ねえ、お姉ちゃん」

「そうよ、アサギならともかく、わたしたち子どもじゃないんだから」

美射奈さんと絵笛芽羅さんがねーっと顔を見合わせた。

「あんたたちの、そういう軽いところが心配なのよ」

花美羅さんがぴしゃりと言うと、二人の妹はまた顔を見合わせた。

「そういうお姉ちゃんが一番心配なんだけど？　カレシと仲直りしたの？」

「そうだよ。めっちゃ荒れてコーヒーメーカーにやつあたりして、壊したくせに」

「なんですと？　花美羅、そんな相手がいたんですか？」

いつもおだやかな土羅蔵さんが、バサリとマントをひるがえし髪を逆立てた。

「どんな妖怪かな？　種族は？　特性は？　年は？」

「お父さん、落ち着いてよ！　目が真っ赤に光ってるよ！　なにも牙までむかなくてもいいでしょ？」

「やれやれ、騒ぎが大きくなってしまった」

宵一さんが肩をすくめた。

「玉兎さんから聞いたよ。うめ也店長がわたしに大事な話があるとね。話はバックヤードで聞こうか」

「はい、よろしくお願いいたします」

うめ也と宵一さんはカウンターの奥、店の関係者しか入れない、バックヤードに入っていった。

（うめ也が大事な相談？　宵一さんに？）

アサギはちらっと聞こえたその会話が、すごく気になった。

（まさか「アリスちゃん事件」――アサギを「アリスちゃん」と呼ぶ、おかしなお兄さんに、アサギがツキヨコンビニに出入りするのを録画されてしまった事件のことを、みんなでこう呼ぶようになった――のときみたいに、店を辞めてどこかに行きたいとか……）

その事件が解決したあと、うめ也はアサギを危険にさらし、従業員を大変な目にあわせ、お客に迷惑をかけたことに責任を感じて店を辞めたいと申し出たのだ。

しかし、宵一さんに「まだこの店の店長として、妖怪として、修業を積んでスキルアップに励んでほしい」と言われ、氷くんやもちこちゃんにも引きとめられ、店長を続ける決心をしたのだ。

（うめ也、店長としてがんばってるし、妖力アップの修業もしてる……。辞めたいってことはもうないよね。でもわざわざ宵一さんに来てもらうなんて、よっぽど大変なことなのかも）

アサギは話に夢中になっているみんなからはなれて、カウンターの中に入りこんだ。

「それは確かなのか？」

宵一さんがおどろく声が聞こえた。

アサギはそうっとバックヤードの奥の控室に近づき、ドアのかげで聞き耳を立てた。

「はい、たんなる万引きなら、わざわざ社長に来ていただくことはないのですが、どうもおかしいんです」

うめ也が、困り果てたように言った。

「カップめんばかりが盗まれる、謎の盗難事件なんです」

「カップめん盗難事件?!」

アサギは、びっくりして、声を上げてしまった。

同時にうめ也と宵一さんが振り向いて、ドアのかげにいるアサギを見た。

「アサギ！　聞いてたのか。店の大事な話をしてるんだから、アサギはあっちへ……」

うめ也の言葉をさえぎってアサギは叫んだ。

「お店の大事な話だったら、ますます聞きたいんだよ！　わたしだって、この店のアドバイザーなんだし。なにかできることがあるかもだよ！」

「アサギには関係してほしくない。犯人の正体がわからなくて危険だ。……なにしろ、姿が見えないやつなんだからな」

「姿が見えない？」

アサギは息をのんだ。

「ああ、カップめんが盗まれているところは、防犯カメラに映っているんだけれど、犯人の姿が映ってないんだ」

「それならますます、早くつかまえなきゃ。わたしだけじゃない、みんなにも言って、犯人さがしに協力してもらった方がよくない？　うめ也一人でどうにもならないから、宵一さんに相談してるんでしょ？」

「それは……」

うめ也が言葉をつまらせた。

「アサギさんの言う通りですね。この件は特殊で、ただの万引き事件とは思えない。お客さまの中に、なにか知っている方もいるかもしれない。みなさんにも聞いてみましょう」

そう言って、宵一さんは立ち上がった。


「うわあ、本当に犯人の姿が見えないね」

「カップめんが消えたり現れたりする!!　なんで？」

宵一さんの話を聞き、防犯カメラの映像を見たみんなは、こぞって首をひねった。

アサギもその不思議な映像が信じられなくて、何回も再生してもらった。

カップめんが一個、棚からすうっと浮きあがる。天井近くまで浮きあがったかと思うと、ぱっと消える。そして今度は給湯マシンの置いてある、カウンターの端の方に現れる。

カップめんのふたがめくれ、給湯マシンからカップにお湯が入る。そしてふたがきちんと閉まったかと思うとまた、消える。

「カップめんそっくりの妖怪をまちがえて売ってたとかじゃないの？　ポテトフライに蝶妖怪の幼虫が、まぎれてたりするじゃん」

アサギが言うと、氷くんが即座に否定した。

「それはないですよー！　棚に並べるときに気がつきますよ！　妖怪に商品コードはついてないですし」

「カップめんにお湯が入った後、だれもいないのに自動ドアが開いてます。やっぱり姿が見えない犯人がカップめんを持って出ていってるんですよ」

映像に目を凝らして、うめ也が言った。

「ゆうちゃんも姿を消せるよ！」

花美羅さんの膝の上でいっしょに映像を見ていた、ゆうちゃんが得意そうに胸を張った。

「ゆうちゃんはユーレイだからね。でもこんなふうにカップめんを消したりはできないでしょ」

花美羅さんが笑って、ゆうちゃんの頭をなでた。

「店長、犯人は姿を消せるし、持ってるものも消す能力がある妖怪ってことですね……」

氷くんの言葉に、うめ也が、くやしそうにうなずいた。

「妖力を使って、こういうことをされたらお手上げだ」

「妖怪は善良なはずだという『妖善説』でこの店は営業してますからね。困ったものです」

宵一さんも、ため息をついてひたいを押さえた。

「それにしても、このどろぼうはヘンだよな。なんでカップめんしか盗まないんだろ？」

バナナ皮スーツの頭のところを開け、美しく整った顔をのぞかせてばなにーさんが問いかけた。

「それは、カップめんが大好きだから？」

美射奈さんが答えた。

「じゃ、なんでわざわざお湯を入れていくんだろ？」

「んと、すぐに食べたいから？　それか住んでる家に湯沸かしもポットもないとか？」

絵笛芽羅さんが返事した。

「じゃあ、カップめんが大好きで、すぐにお湯を入れて食べたいほど腹がへってて、お湯が沸かせないところに住んでいる、姿を消せて物も消せる強い妖力があるのに、要領がよくない妖怪が犯人ってことか」

ばなにーさんがそうまとめた。

「要領がよくない？　どうしてそう思われるのですか？」

土羅蔵さんから聞かれて、ばなにーさんは肩をすくめた。

「だって、毎日一個盗るぐらいなら、なんでいっぺんにたくさんのカップめんを盗まない？　姿も物も消せるんだったら、給湯マシンだって盗めるかも。なのに、そうしないんだからさ」

「それはわたしも気になっていました」

宵一さんが、同意した。

「それだけの妖力があるのなら、なぜこんな手のかかる、見つかる可能性が高い盗み方をするのか……」

そう言われて、みんなうーんと考えこんだ。

「とにかく、防犯カメラは妖力解像度の高いものに変えましょう。それなら犯人の姿が映るかもしれません。うめ也店長は、注意深くカップめんの棚を見ていてください。いつもここでおくつろぎのみなさまには、ご迷惑をおかけして申し訳ないです」

宵一さんが頭を下げると、土羅蔵さんがいやいやとかぶりを振った。

「わたしたちも、毎日ここにいながら、どろぼうに気がつかなかったのは、情けないことです。注意して、カップめんの棚を見張りますよ」

「お父さん、たまにはいいこと言うじゃん！」

「わたしたちでしっかり見張ってたら大丈夫よ」

「みんなでがんばったら犯人はすぐつかまえられるわよ！」

土羅蔵三姉妹が口々に言い、ばなにーさんも土羅蔵さんも力強くうなずいた。

（うう、こういうの、燃える！）

アサギは立ち上がり、腕を振り上げて叫んだ。

「みんなで力を合わせて、犯人をつかまえよう！　おー!!」

「おー！」

ゆうちゃんも飛び上がって、小さいこぶしを振り上げた。

犯人の落とし物

次の日、日曜日。

アサギは朝ご飯をすませると、ゆうちゃんといっしょにすぐにツキヨコンビニに行った。

「来たよ……わっ！」

自動ドアが開くと、目玉が落ちそうなほど目をむき、モップを振り上げた氷くんと、触手をクモの巣のように広げて、待ちかまえているもちこちゃんがいた。

アサギの肩につかまっていたゆうちゃんも、びっくりして天井近くまで飛び上がった。

「アサギさんとゆうちゃんでしたか！　すいません」

氷くんはあやまりながらモップをおろし、もちこちゃんも伸ばした触手をシュルルと引っこめて、申し訳なさそうに小さな目でゆっくりまばたきした。

「二人ともどうしたの？」

「自動ドアが開くと、犯人かも！　ってつい思ってしまって……。さっきもトウロウ5さんをあやうく殴ってしまうところでした」

「わたしたちも、カップめんの棚を交代で見張ってるんだけどね」

イートインスペースに座っている花美羅さんが言った。

「小さい物音も聞き逃しちゃダメだから、しゃべってちゃダメだし」

「恋愛リアリティ番組も見られないしねぇ」

美射奈さんも絵笛芽羅さんも、げんなりした顔だ。

「ばなにーさんは？」

「ここだよ」

黄色いシャツ姿のすんなりした美人が、棚の裏から現れた。腕には大きなバナナの皮そっくりのバナナスーツを持っている。

「あれ？　ばなにーさん、バナナスーツぬいじゃってるの？」

「犯人が現れたら、即バナナスーツ投げてやろうと思ってさ」

ばなにーさんのバナナスーツは、投げつけた相手をすっぽり頭から包みこむことができる。しかも強いショックを吸収する素材でできていて、中でいくら暴れてもけっして破って逃げ出すことができない。

「でも、早く来てくれないと、これじゃ寒いなあ」

ばなにーさん、黄色いシャツ一枚のスタイルばつぐんのその体をぶるっと震わせた。

「ばなにーさん、風邪引きやすいからさ、無理しない方がいいんじゃないの？」

アサギが言うと、

「そうですよ。みなさん、少し休んでください」

うめ也がカウンターから出てきて言った。

「ご協力のお礼に、お好きなものをごちそうするようにと社長から言いつかってますから」

「お！　そいつはうれしいな。じゃあ、バナナミルクをホットでもらおうかな」

ばなにーさんが言った。

「わたしはコーヒーをいただけますか」

土羅蔵さんが言った。

「あのさ、みんなに元気の出るおやつ作ってあげようか？」

　アサギが言うと、なにを飲もうか考えていた花美羅さんたち三姉妹がぱっと顔を上げ口々に言った。

「ええ？　ほんとに？」

「おやつうれしい！」

「なになに？　アサギの考えるスイーツ、楽しみ！」

「スイーツじゃないんだけど！　カップ焼きそばに思い切りマヨネーズとポテトチップをかけて食べるんだ！」

　みんながいっせいに「おー！」と歓声を上げた。

　これもトモルが教えてくれたアレンジで、作ってみたかったのだ。

「すぐにできるから、うめ也も氷くんも、もちこちゃんも……、あっ、ごめん。もちこちゃんは金属の方がよかったよね」

「もちこちゃん用のおやつのレアメタルはこっちで用意してますから、大丈夫ですよ」

　氷くんが、すぐにそう言ってくれた。

「じゃ、すぐに作るから！　うめ也、みんなに食べてもらってもいいでしょ？」

うめ也は、ああ、とうなずいた。

「それはおいしそうだな」

「じゃ、材料取ってくるね！」

アサギは店内の買い物かごにマヨネーズとのり塩ポテトチップを入れた後、カップめんのコーナーに行った。

棚には、カップめんがきちんと並んでいて、特に変わったようすはない。

アサギは棚に積んであるカップ焼きそばを数個かごに入れ、カウンターの端の方に置いてある給湯マシンの前に立った。

ペリペリと、カップ焼きそばの包装フィルムをはがしているとき。

ポタン、と、フィルムの上に水滴が落ちてきた。

（あれ？）

アサギは、顔を上げた。

すると、アサギの頭上の空間にカップラーメンが浮いていた。白くて丸い、器の底が見える。

（あ、あっ!!）

アサギは焼きそばを取り落とした。

（カップめん！　盗まれてる!!）

「犯人だー!!　つかまえて!!!」

アサギが叫んだとき、ギクリとしたようにカップめんの器がかたむき、ゆらゆらとゆれながら出入り口の方に向かったが、バシャッと床に落ちた。

バサバサと厚い布が風にはためくような音がして、自動ドアが開いた。

「逃げちゃうよ！　そこ！」

アサギが自動ドアの前を指さすと、

「待て!!」

うめ也がかっと目を光らせて、見えない相手に飛びつき、爪を引っかけた。

氷くんも突進し、もちこちゃんは、シュバッと広げた触手を網にしてはなった。

しかし二人はブンッとふき飛ばされて、あおむけに床に倒れ、触手の網が二人の上にかぶさった。

「もちこちゃん！　これ、はずしてくれ！」

もがきながら叫ぶうめ也たちから、あわててもちこちゃんは触手を引っこめた。

自動ドアはそんな騒ぎをあざわらうかのように、みんなの前でゆっくりと閉まった。

その後、アサギとうめ也が店の表に出てあたりを見てみたが、やはり犯人の姿は見つけられなかった。

「やつの体に手が届いたのに！　すごい力ではねとばされた……」

そう言ったうめ也の手の先に、赤いものがついていた。

「うめ也、それ、血？　ケガしたんじゃない？　大丈夫?!」

アサギに言われて、うめ也は首をかしげた。

「いや、ケガはしてないよ。これ、なんだ？」

爪の先に引っかかっていた赤いふわふわしたものを、反対の手でつまんだ。

「羽みたいだ。犯人の落とし物だな」

「その赤い羽が？　犯人の落とし物？」

「すいません、それをちょっとわたしに見せてください」

土羅蔵さんが、うめ也とアサギの間に割って入ってきた。

「……これは……」

土羅蔵さんはその羽を手に取ると、頭上にかかげた。

ツキヨコンビニの入り口近くのすみ、イートインスペース上部の天井は、いつもめくりあがって、月夜が見えている。

土羅蔵さんが満月に向けて羽をかざすと、すうっと透けて、見えなくなった。

「月光をあびると見えなくなる……これは妖鳥の羽ではないでしょうか」

「妖鳥の羽?!」

「月光をあびたら見えなくなるの?」

アサギとゆうちゃんは声を上げて、顔を見合わせた。

「そいつが犯人かもしれない！　とにかく防犯カメラの映像を見てみよう。昨日のうちに社長が手配して、高性能のカメラにつけかえてくれたから、姿が映ってるかもしれない！」

うめ也が大きなもふもふの手をぐっとにぎりこんで、そう言った。

なぞの多い妖怪

「やはりそうだ。これは月喰鳥です」

防犯カメラの映像を確認して、土羅蔵さんが言った。妖力解像度の高いそのカメラには、妖鳥の真っ赤な羽におおわれた体がちゃんと映っていた。

「以前旅の途中で、夜にこの鳥の一族と会ったことがあるんです。森の中からいっせいに真っ赤に光る鳥たちが羽ばたいてきたかと思ったら、月の下に出たとたん、みんな姿が見えなくなってね。ぶつからないように、気をつけて飛ばなくちゃいけなかったんですよ」

映像の月喰鳥は、アサギが店内に入ってくると同時に、アサギの後ろからずいっと現れた。つばさをたたんで、二本足で立つと背が高く、大人の男性ぐらいある。羽毛は熟した果物のような濃い赤で、つばさの先に行くほど金色まじりになる。刃物のように鋭いくちば

店長
うめ也

し、目つきもおそろしい。

入ってきたのがアサギだけだと思った氷くんがモップを下ろし、もちこちゃんが触手を引っこめると、月喰鳥はつばさを広げて低く飛び、すいっとカップめんの棚の上にとまった。

そしてだれもがカップめんの棚を見ていない瞬間に、棚の前に降り立ち、五つに分かれて指のように器用に動くつばさの先でカップめん……「まんぷくチャーシューめん1.5倍サイズ」を取った。

月喰鳥はそのまま給湯マシンまで飛ぶと、カップめんにお湯を入れた。そこに焼きそばを抱えたアサギが来た。

おどろいた月喰鳥はお湯を入れたカップめんを、あわててくちばしでくわえて、羽ばたいた。

月喰鳥は、くちばしの先ではものの姿を消すことはできないらしく、その真下にいたアサギが顔を上げて、空中のカップめんに気がつき大声を上げた。

月喰鳥はカップめんを取り落としたものの、飛びついてきたうめ也と氷くんを片方のつばさをブンと広げてはねとばし、店を出ていった……。

「油断した！　アサギの後ろについて入ってきていたんだな！　店に中にいたのに気がつかなかっただなんて！」

うめ也が頭を抱え、歯噛みした。

「待てよ、月喰鳥って、聞いたことある。確か……」

ばなにーさんが、イートインスペースのテーブルを、爪の先でコツコツたたきながら言った。

「月の光をあびて、エネルギーチャージするタイプの妖怪だよな？」

「ええ。月光をあびるのが食事代わりで、雑食性でもないはずなんですが」

土羅蔵さんが首をかしげた。

「本当だ。妖怪プロフィールにもそう書いてあります！」

店の奥から引っ張り出してきた分厚い本、『全妖怪紹介図録・改訂版』をめくって氷くんが言った。

「それに、にぎやかなところは好まず、山奥や島に一族で住んでいることが多いって。じゃあ、うちの店に、なんで来るんですかね？　すっごくにぎやかなのに」

氷くんがゴキッと関節を鳴らして首をかしげた。

「ここだといつも月夜で姿を消せるし、どろぼうをしやすいから……かもしれないが、それにしてもカップめんにこだわる理由がわからない。なぞの多い妖怪だな」

「そもそもなんだけど、一人前の妖怪なら役所に申請したらJペイ、もらえるでしょ。なんでどろぼうなんてするのかしら？」

ばなにーさんと花美羅さんも不思議そうに言い合った。

「どんな理由があるにしろ、どろぼうはつかまえなきゃね。でも、どうやって見えない犯人をつかまえる？」

美射奈さんの問いかけに、絵笛芽羅さんが、はーいと手を上げた。

「あのさ、もちこちゃんに頼んで、入ってくるお客をとりあえず全部網にかけちゃえば？見えなくてもお客ごとつかまえるんだよ！　で、わたしたち姉妹がつばさの先を剣にして、犯人がいるあたりをブスブスッて刺しまくるの！」

大胆なその提案を、あわてて氷くんが止めた。

「よ、よしてください！　事情をご存じないお客さまがびっくりされますよ！」

「……土羅蔵さん。月喰鳥の一族と出くわしたとき、森から出てきて月の下に出たとたん、姿が見えなくなった、さっきそうおっしゃいましたよね」

ひげをびんびん前後に立てて、なにか考えていたうめ也がふいにたずねた。

「はい、そうでした」

「月光をあびる直前は、まだ姿が見えたんですよね？　だったら、この店に入る前は、月喰鳥の姿は消えていないはずです。外はまだ午前中ですから」

うめ也が自動ドアの向こうを指さした。

「アサギ、なにか背後についてきている者の気配を感じなかったか？」

「でっかい鳥妖怪が後ろにいたら、さすがに気がつくよ。それに店に入るときは、だれか見ていないか気をつけてるし」

「外では、あんな目立つ姿じゃないだろう。ぼくだって店の外ではふつうのねこだし、土羅蔵さん一家はコウモリに変身する。ばなにーさんみたいに美形の人間に化けてスポーツカーを運転……なんてこともあるけどさ」

「外ではなにかに化けてるかもってこと？　それでも、店に入るとき、だれかがついてきてるなんて……」

言いかけてアサギは、はっとした。

「……あのさ。もう一回さっきの映像見せてくれる?」

防犯カメラの映像を、タブレットでまた再生してもらった。

自動ドアが開いて、店にアサギが入ってくる。自分の頭の後ろの方に目を凝らして叫んだ。

「ここ! 止めて!」

アサギは自動ドアの上の方にほんの少し見えている、赤い色の点を指さした。

「拡大して!」

操作していたもちこちゃんが、赤い点の部分を広げて大きく映した。

「やっぱり! いちごの小鳥!」

そこには手をにぎったら、その中に隠れてしまうぐらいの小鳥が羽ばたいているようすが映っていた。

「やっぱりって。アサギ、この小鳥に見覚えがあるのか?」

「ううん。でも、店に入る前、パタパタッて小さい羽ばたきが聞こえた気がしたんだ。それにチドリさんが言ってた。最近、うちのマンションにいちごみたいに小さくて真っ赤な小鳥が来るんだって。パンくずをあげても食べないから、なにをあげたら食べに来てくれるかしらってチドリさん、すっごく考えてたんだよ」

「あのね、この小鳥さん、おねえちゃんの部屋の窓にとまってたよ」

今度はゆうちゃんが声を上げた。

「いつ？」

「えーっと、おねえちゃんのカレシが来てるとき」

カレシじゃない！　友だち！　という話は今、している場合じゃない。

「じゃ、おととい……金曜日にうちに来てたんだ！」

「……もしかして、アサギのことを見張っていたのかも」

うめ也が、がくぜんとしてつぶやいた。

「なんでわたしを見張るの？」

「アサギが、ツキヨコンビニに毎日来るから、その後についてくれば、店に入りやすいと思ってるんだろう。ああ、ぼく、家にいるときになんで妖怪の気配に気がつかなかったんだ？」

うめ也がくやしそうに両手で頭をかきむしった。

「もしまたあの小鳥の姿でうちのバルコニーに来たら、虫取り網とかで、さっとつかまえたらいいんじゃないの？」

アサギが言うと、うめ也は、

「ダメだ！」

二本のしっぽの先をぶんと太くして、叫んだ。

「そんなことをしたら、すぐに正体を現して攻撃してくるかもしれない！　外ではぼくも、使える妖力がまだ弱いし、ママさんやチドリさんにだって危険が及ぶかもしれない。ぜったいに勝手なことしちゃダメだぞ」

「じゃあ、どうやってつかまえるの？」

「この店に誘いこんで、店内でつかまえる」

宣言したうめ也は天井を見上げて言った。

「だから玉兎さん、月喰鳥が入ってきたら、天井のその角をふさいでもいいですか？」

めくれあがった天井の上からは、巨大なピンクのうさぎの顔……いつのまにか玉兎さんがのぞいていた。

「うめ也店長。それは月喰鳥に月光をあてないようにするためですね？」

「その通りです」

うめ也が答えると、玉兎さんがすっと顔を引っこめ、夜空に浮かんだ白い三日月が見えた。

「なるほど、そっか！　そこをふさげば月喰鳥は月光をあびられない！　姿を消せないもんね！」

アサギは感心して、大きな声を上げた。

「さすがうめ也店長！　すごくいいアイデアです！」

氷くんともちこちゃんもそろってうなずいているところへ、玉兎さんがもどってきて言った。

「社長の許可がおりました。がんばって月喰鳥をつかまえてください、とのことでした。それにわたしもお手伝いいたしますので」

「了解です！　今日中に必ずつかまえますよ！」

うめ也が、ドンと厚い胸をたたいた。

「今日中に？」

アサギがおどろいて聞き返した。

「ああ、あいつは必ずまた来る！」

うめ也はそう言って、きんと緑の目玉を光らせた。

うめ也の作戦決行！

「月喰鳥は、毎日一個、カップめんを持っていくんですが、だんだん大きくて、食べ応えのあるものを選ぶようになっています」

うめ也は、今までに盗まれたカップめんの一覧をタブレットで見せながら、みんなに説明した。

「最初はミニカップめんを盗ってましたが、ふつうサイズのものを選ぶようになり、今日、持っていこうとしていたのは『まんぷくチャーシューめん1.5倍サイズ』です」

「この月喰鳥、カップめんにはまりすぎだよね。太っちゃうよ」

「カロリー高いもんね。そんなにハマったのかな？」

美射奈さんと絵笛芽羅さんが言った。

「それか、ほかのだれかと食べてるとか」

花美羅さんがぽそっとつぶやいた。

「そのへんの理由はわからないですが、今日は盗り損ねてしまった。月喰鳥としては、困っているはずです。必ずまた店にやってくると思います。そこで……」

うめ也は犯人をつかまえる作戦を発表した。


というわけで、アサギは今、自分の部屋で勉強机に向かっている。

目の前には宿題のプリント、手にはえんぴつ。でもぜんぜんプリントの問題文が頭に入ってこない。窓の方が気になってしょうがないのだ。

(でも、窓を見ちゃダメなんだよね。もし、いちご鳥が来てたら、逃げちゃうかもだし)

うめ也の指示通りにしなくては……、アサギはせいいっぱい勉強をしているふりをし続けた。

「……おねえちゃん、おねえちゃん」

耳元でゆうちゃんのささやきが聞こえた。

（来た！）

アサギは姿勢を変えず、えんぴつの先でトントンと二回、机をたたいた。

これは「聞こえてるよ」の合図だ。

ゆうちゃんは姿を消したまま、アサギの部屋の窓を見張っていた。いちご鳥が現れたら、こっそりアサギに知らせる役目なのだ。

「いちご鳥、来てるよ。バルコニーにとまって、今、おねえちゃんのようすをじーっと見てる。きっとおねえちゃんが、ツキヨコンビニに行くのを待ってるんだよ」

アサギは、机にえんぴつをころんと転がした。

これは「よし、行くぞ！」の合図だ。

「あー、宿題進まないなあ。ママは買い物でいないし、土羅蔵さんに手伝ってもらっちゃおうかなあ。うめ也には、今日はもう来るなって言われてるけど、ツキヨコンビニに行こうっと～」

はっきりと、いちご鳥に聞こえるように言った。これもみんなで考えて決めたセリフだ。

アサギは立ち上がるとサイズ大きめのウインドブレーカーをはおり、トートバッグにプリントとペンケースをつっこんだ。パーカーのポケットに金色のカード――ツキヨコンビ二の正会員カードが入っているのを確かめると部屋を出た。

ゆうちゃんが姿を消したまま、ふわりとアサギの肩に乗っかる気配がした。

マンションを出てしばらくすると、

「いちご鳥、すぐ後ろについてきてるよ」

ゆうちゃんが耳元で言った。耳を澄ますと、小さな羽ばたきが、頭の後ろから聞こえた。

(よし！　いちご鳥、このままついてきて！)

アサギはじょじょに早足になって、店に向かった。

いつもの空き地の前に立つと、周りに人がいないのを確認して、おおまたでふみこんだ。

「いらっしゃいませ！」

氷くんの元気な声が響く。

ツキヨコンビニの店内に入ったのだ。

「あれ、アサギさん、また来てくださったんですかあ？」

「うん、土羅蔵さんに宿題みてもらおうかな、なんて思って～」

などとそれらしい会話をしながら、アサギは後ろで自動ドアが閉まるのを待った。

もともとこの店の自動ドアは開閉がゆっくりめなのだが、このときほどドアの閉まるのが遅く感じたことはなかった。

自動ドアが完全に閉まった瞬間、ドアの横からもちこちゃんが、シュババババ！　触手のすべてを使って、しっかりとドアを封鎖した。

「今だ！　玉兎さん、お願いします！」

うめ也の叫び声とほぼ同時に、天井から、ボフン！　と厚いふとんが落っこちてきたような音がした。

見上げると、めくれあがっていた天井の角がピンクの毛のかたまりでふさがれていた。玉兎さんのお尻だ。丸っこいピンクのかたまりの端から突き出ているのは、玉兎さんのしっぽだろう。

「アサギさん、こっちです！　早く！」

土羅蔵さんが手招きする方に、アサギはダッシュした。土羅蔵さん一家は店の奥、冷たい飲み物が並んでいる冷蔵庫の前あたりに待機している。

アサギが土羅蔵さんのマントの裏に隠れると、

「あれが、月喰鳥……」

「リアルで見るとすご……」

「こわ……」

花美羅さんたちの声が聞こえた。

アサギはマントの端から顔を出し、うっと固まった。

玉兎さんのお尻で月光がさえぎられ、月喰鳥の姿があらわになっていた。

（で、でかっ！）

全身の羽毛をふくらませた月喰鳥は燃え上がる炎のよう。防犯カメラの映像で見るよりもずっと大きく見えた。長いくちばしや足の爪も鋭くて、刃物のようだ。

しかしうめ也はひるまず、月喰鳥の前に立ちはだかった。

「月喰鳥さん、あなたがカップめんを盗った犯人だというのはわかっています。これ以上、盗難を見すごすわけにはいきません。持っていった商品を返すのが無理なら、商品の代金をお願いします」

青いエプロン姿のうめ也が、落ち着いた態度で言った。

「それができなければ、どうするつもり？」

うめ也をにらんで月喰鳥が、聞き返した。

月喰鳥の声は、意外にも若い女の声だった。それも澄んでいて、声優みたいにきれいな声だ。

（えー！　声と見た目とのギャップがすごい！　っていうか、あの月喰鳥って女性なの？）

「あなたをつかまえて、本部に連れていきます。そしてあなたが二度とこの店に来られないようにします」

「そういうわけにはいかない！」

月喰鳥はくわあああっとくちばしを大きく開けて、叫んだ。バサッとつばさを広げると、ブオンッと赤いつむじ風が巻き上がった。

「ひえ！」

うめ也の近くにいた氷くんがふっ飛ばされて、悲鳴を上げた瞬間、風に巻き上げられた雑誌やマンガ本がアサギの方に飛んできた。

「わ！」

のけぞったアサギの顔の前に飛んできた雑誌を、花美羅さんがコウモリのつばさの先で、パシッと打ち返した。

「……こちらも、これ以上店を荒らされるわけにはいきません」

うめ也が目玉をぐいっとむいたかと思うと、どろどろと黒いもやが足元からわきあがり、ずずずっとその体が雲をのんだみたいにふくれあがった。

（出た、うめ也の大化けねこ！）

うめ也は目を金色に光らせ、ウギャアアと吠えた。そして鋭い牙の先を見せつけるように、あんぐりと大口を開いた。

一瞬月喰鳥がひるんだのを見て取って、土羅蔵さんが叫んだ。

「ばなにーさん、今ですぞ！」

「おっしゃあ！」

ばなにーさんが答えると同時に、土羅蔵さんがコウモリのつばさを広げて飛びたった。

背中には、黄色いシャツのばなにーさんが乗っている！

土羅蔵さんは棚と天井の間を切り裂くように飛んでいくと、月喰鳥の真上で急角度で旋回した。そのタイミングでばなにーさんは、抱えていたバナナスーツを月喰鳥めがけて投げつけた。

「！」

月喰鳥は悲鳴を上げるひまもなかった。バナナ皮そっくりのスーツは、月喰鳥を頭からのみこむと足の先まですっぽり包みこみ、ぎゅっと固く先を閉じた。

「やった!!」

アサギと土羅蔵姉妹は抱き合って歓声を上げた。

バナナスーツの中で、月喰鳥はじたばたともがいていたが、すぐにおとなしくなった。

「ふふん、オレのバナナスーツに包まれて、逃げ出せたやつはいないんだよ！」

ばなにーさんが得意げに笑った。

「いや、まだ油断してはいけません……が、観念したようですね」

うめ也が店長の姿にもどって言うと、みんな、スーツの周りにわらわらと集まった。

月喰鳥は動かなくなり、巨大なバナナが一本、床に落ちているようにしか見えない。

「うめ也店長どうします？　このまま本部に引きわたしますか？」

氷くんがたずねた。

「その前に社長に連絡した方がいいだろう。玉兎さん、お願いできますか？」

うめ也が天井に向かって言うと、スポンとピンクのかたまりが天井からぬけ、玉兎さんの顔がのぞいた。

「わかりました。社長にお聞きしますね、しばらくお待ちを」

玉兎さんがいなくなり、夜空と白い三日月が現れた。

「案外、アッサリつかまったな」

「うめ也店長の作戦通りに行きましたね」

みんな、ほっとしたように笑顔になった。

「大化けねこのうめ也、またパワーアップしてたね！　前より迫力あったよ！」

アサギがそう言ったとき。

ピリピリピリ……。なにか糸がひきつれるような音が足元からした。見ると、バナナスーツのへりが破れ、中から赤金色のとがったものが突き出ている。

（あ！　バナナが！）

破られる！　とアサギが叫ぶ前に。

バリバリバリ！

バナナスーツが内側から引き裂かれ、月喰鳥の真っ赤なつばさがブワンと広がった。

「アサギ！　あぶない！」

うめ也がとっさにアサギを抱きかかえて、背中を向けた。

振り下ろされたつばさの先が、うめ也の背中をざくりと切り裂いた。

「うっ」

うめ也はうめいて、しゃがみこんだ。

「うめ也店長!!」

「こいつ！　うめ也店長になにする！」

「なにするんだ！」

土羅蔵三姉妹がいっせいにコウモリのつばさを広げ飛びかかった瞬間、すっと月喰鳥の姿が見えなくなった。

空を切った三姉妹が、ドンッとぶつかり合った。

「いたっ！」

「ヤバ、あいつ、消えちゃった！」

「月光をあびたんだ！　どこ？」

三姉妹が言い合っていると、自動ドアが開き始めた。

「しまった、逃げられる！　もちこちゃん、入り口をふさいでくれ！」

うめ也が叫び、すかさずもちこちゃんが自動ドアに触手をのばした。

ドアが完全に開ききる前に、触手はくもの巣の形にバシッと入り口をおおった。

(間に合った？　……あ！)

触手のすきまから、いちご色の小鳥が、パタパタと店の外を飛んでいくのが見えた。

絶句しているアサギたちを店内に残し、ゆっくりと自動ドアが閉まった。

しん……と店は静まり返った。

「ああ……逃げられた」

うめ也がうめいて、その場に倒れこんだ。

奪われたご当地ラーメン

（あーあ……）

ツキヨコンビニからの帰り道、アサギはため息が止まらなかった。

月喰鳥に逃げられた後、ばなにーさんは「オレの最強で最高のバナナスーツが！」と、びりびりに破れたスーツを抱えて泣き出すし、土羅蔵三姉妹は、ぶつかり合ったのはだれのせいかとケンカを始めるし、がんばりすぎたもちこちゃんはぐったり溶けてしまうしで、店のふんいきは最悪になった。

「ぼくの作戦が甘かった……こんな形で取り逃がしたら、月喰鳥は警戒してもうツキヨコンビニに来ないかもしれない……。みなさん、本当に申し訳ありません。ばなにーさんのスーツは、弁償します」

うめ也はみんなに頭を下げて帰ってもらい、店を閉めた。

「うめ也、背中の傷、大丈夫なの？　ごめんね……」

アサギを守ろうとして、うめ也がケガをしたのだと思うと、くやしくてたまらない。

「いや、たいしたことはない。妖怪用の傷薬を塗れば、これぐらいすぐ治るよ。氷くんは大丈夫か？」

「はい！　取れた腕はこの通りです」

氷くんは救急箱を持った腕を、振って見せた。

「ケガがなくてよかった。じゃ、もちこちゃんの介抱を頼むよ」

「背中に薬を塗ってあげるよ」

アサギが救急箱のふたを開けようとすると、うめ也がその手をパフッと肉球で押さえた。

「アサギとゆうちゃんはもう帰るんだ。店にいた時間は調節しておくから。ママさんが買い物から帰るまでに部屋にもどっておいた方がいいだろう」

うめ也に言われて、アサギはゆうちゃんの姿が見えないことに気がついた。

「ゆうちゃん、いない……先に帰ったのかな」

「疲れて、うちの郵便受けで寝てるのかもしれないな。とにかくもうお帰り」

「わかった……帰ってゆうちゃんのようすを見てみるよ！　じゃあね」

アサギが店を出ようとしたとき、

「アサギ！」

うめ也が呼び止めた。

「なに？」

「もしいちご鳥が……月喰鳥が家に現れたら、窓を閉めて知らんふりするんだ。まちがっても一人でつかまえようなんて思わないでくれ」

「うん、わかってるって！」

そう返事して店を出たのだった。

（うめ也ったら、わたしだって一人でつかまえようなんて思わないよ。月喰鳥、あんなに強い妖怪なんだもの……。でもうめ也へこんでたなあ。いったい、どうしたらいいんだろ……）

うなだれて、またため息をついていたら、

「日向(ひなた)さ……アサギ！」

呼(よ)びかけられた。

顔を上げたら、トモルがいた。手にはナインマートのレジ袋(ぶくろ)をさげている。

「トモル！」

「アサギ、どうかした？　なにかあった？」

トモルは心配そうに、アサギを見つめた。

アサギはなんでもないよと言いかけて、やめた。

「……なにかあったって、わかる？」

「わかるよ。そんながっくりした感じでため息ついてたらさ。よかったら、話してよ。

えーと、ほら、友だちなんだから」

ちょっと照(て)れくさそうにトモルが言った。

「う、うん……」

トモルはアサギのことを心配している。それに、アサギのことをもっと知ろうとしている。それがわかったとたん、胸の中にあたたかいお湯を注がれたみたいな気持ちになった。

それでトモルにはできるだけ、本当のことを話したいと思った。

「ああ、あのね、カップめんどろぼうに逃げられちゃって……うめ……じゃなくて、知り合いのお兄さんが店長やってるコンビニで」

「え、カップめんどろぼう?!」

トモルが目を大きくした。

「そっちにも出たか！」

「そっちにもって？」

「ぼくんちのカップめんも、盗まれたんだよ！」

今度はアサギが目をまん丸く開いた。

「どういうこと？　いつ？　何個？　どんなふうに？」

飛びついてきそうなアサギの勢いに、トモルが言った。

「たった今、うちのキッチンだよ。犯行現場、見に来る？」

「行く！」

アサギはトモルといっしょに、走り出した。

トモルの家のキッチンをひと目見るなり、アサギは声を上げた。

「あー！　ひどい！」

棚のとびらが開き、トモルがしまっていたカップめんがばらばらと床に落ち、転がっている。へしゃげて、器が割れてしまっているのもある。

よく見ると床にはお湯がこぼれているし、破れた薬味の袋も落ちている。

「ご当地名店シリーズとかさ、もう製造中止になるからまとめ買いしてたものとかさ、ここにきちんと並べてたんだよ」

悲しそうにトモルは、棚を指さした。

「あんまりショックで、すぐに片づける気持ちになれなくて……。気持ちをおさめるために、ナインマートで新製品のカップめんを買いに行ってたんだよ……。そしたらアサギに会って。もう信じられないよ。いったいだれがこんなことを」

「その窓は開いてたの？」

アサギは庭に向かって全開している、キッチンの窓を見て言った。

「うん、昼ご飯にタイカレー味のカップめんを食べたら、けっこうにおいが残ってさ。窓を開けて換気したんだ。その後、自分の部屋にカップめんの記録ノートを取りに行って、もどってきたらこんな感じで」

「家にはほかにだれもいなかったの？」

「うん、お父さんは仕事だし、ヘルパーさんは日曜は来ないから」

「無くなってるのは何個？」

「一個。『札幌濃厚みそラーメンシャキシャキもやし入り』。食べ応え十分の増量サイズのやつ」

トモルは即答した。

「やっぱり。犯人はあいつにまちがいない……」

アサギはつぶやいた。

「あいつ？　アサギ、犯人のこと知ってるの？」

ぎょっと、おどろいた顔でトモルがアサギに聞いた。

「そのどろぼうは、ツキヨ……わたしが知っているそのコンビニでも、カップめんにお湯を入れて毎日持っていくんだよ。それもいっぺんにたくさんのカップめんを持っていかない。一回に一個しか盗らない」

「わざわざお湯を入れて？　毎日一個ずつ盗るの？」

信じられない！　とトモルは頭を振った。

「うん、すっごくカップめんにこだわりがあるヤツなんだよ」

「どろぼうのヤツ、うちでもお湯を使ってる……ポットのお湯がへってるよ。カップめんが好きすぎて、手に入れたらすぐに食べたいのかな。わかる気もするけど……」

トモルはあごに手を当て、ちょっと考えたあとこう続けた。

「そこまでこだわる犯人だとしたら、この近くで食べてるはずだよ。遠くに運んだら、めんがのびてまずくなるもん」

「そうか！　まだ近くにいるかも！」

「近所を見て回ろう！」

アサギがそう言ったトモルにうなずいて、キッチンを出ようとしたときだった。

「さがすなら、こっちの方だ」

窓ぎわに立ったトモルが言った。

「なんで？」

「そこに薬味のネギが落ちてる」

アサギはトモルの横に行き、いっしょに窓から庭の方を見た。

庭石に緑の小さな破片が落ち、さらにその先に、茶色いラーメンスープらしい液体のあとが、点々と続いていた。

液体の点線の先を目で追うと、黒い屋根を傘のようにかぶった白い壁の四角い建物……景山家の土蔵が二つ並んでいた。

アサギとトモルはおたがいの顔を見た。

「まさか……あそこに？」

「いるかも」

二人は目を合わせてうなずいた。そして同時にキッチンを飛び出した。

月喰鳥のひみつ

「……こっちの蔵、錠がはずれてる」

庭の奥の方にある、土蔵のとびらを前に、トモルがつぶやいた。

ベッドのマットレスなみに分厚いそのとびらの片方が、少し開いている。

「蔵って、ふだん入らないの？」

「うん、中に置いてるのは使わないものばかりだし。ぼくもじつはなにがあるのかよく知らないんだ。お父さんも最近は入ってないと思う」

トモルは、そーっととびらのすきまをのぞくと、ぱっとはなれてアサギにささやいた。

「二重とびらになっているはずなんだけど、中のとびらも開いてる。やっぱりこの中にだれかいる」

アサギとトモルは、とびらにはりついて、すきまに目を凝らした。

中はぼんやり暗くて、よく見えない。するとかすかな物音……パタパタと羽ばたくような音が聞こえた。

(鳥……、いちご鳥の羽ばたき?!)

耳を澄ませたら今度はピイピイと、鳥のさえずる声が聞こえた。

(いちご鳥がさえずってる?! じゃ、外から鍵をかければ月喰鳥をこの中に閉じこめられるかも!)

「トモル、いったんここを閉めて……」

アサギが言い終わる前に、

「なあんだ、小鳥が入りこんでたのか」

トモルがほっとしたように、とびらをぐいっと押し開けた。

「トモル! ダメだって」

「なんで? 小鳥が迷いこんでるんだよ。出してあげなきゃかわいそうじゃないか」

トモルはさっと蔵の中に入っていってしまった。

しかたなくアサギも追いかけて、中にふみこんだ。

蔵の中はとても暗くて、かびくさかった。開けたとびらから光が射しこんで、そこだけ舞いおどる細かいほこりが見えた。

暗さに目が慣れてくると、古いタンスや大きな箱が壁にそって並んでいるのが見えた。

「こっちから聞こえるね。どこかなあ」

トモルは小鳥の姿をさがしていたが、急に足をふんばって動かなくなった。

「どうしたの?!」

「あれ……見て」

トモルが指さす手が、小刻みに震えている。アサギはその先を見て、ぎょっとした。

蔵の奥に、カップめんの空になった器がたくさん転がっていた。

(ツキヨコンビニから盗まれたものばかりだ！　月喰鳥はここに住みついてたんだ！)

「こ、こ、こんなにカップめんがたくさん……なんで」

「カップめんどろぼうがここに住んでたんだよ！　いったん逃げよう！」

アサギはトモルの腕をつかんで引っぱったが、

「ああつ、ぼくの『札幌濃厚みそラーメン』がある！」

トモルはまた立ちどまった。手前の木箱の上に、その一個だけはきちんとふたをして置いてあった。トモルが容器に手をのばした。

「まだ、あったかい！　それに、みそラーメンのにおいもする……食べてないのかな」

すると、容器がカタカタとゆれ始めた。

びくっとトモルが手を引っこめると、かん高いさえずりが聞こえてきた。

アサギとトモルは、じーっとそのカップめんを見つめた。

「……なんか、鳥の声が中から聞こえる気がする……」

「まさか……この中に？」

トモルがカップめんのふたを、そうっとめくった。

すると、ラーメンの汁に半身をひたした真っ赤な羽色の小鳥たちと目が合った。

「「「ピー!!」」」

四羽の小鳥は、いっせいに騒ぎ立てた。

「え、あれ？　なんでラーメンに鳥がつかってるの？　あれ？」

トモルは、頭が真っ白になったらしく、そのまま立ちすくんだ。

（こ、この小鳥たち……みんないちご色……それに顔とかくちばしの形が月喰鳥に似てる。まさか、まさか、この小鳥たちって）

「月喰鳥の子ども……？」

思わずその言葉を口に出したとき、後ろでバサリと大きな羽音がして、ふいに手元が暗くなった。

振り返ると、入り口からの光をふさぐように、月喰鳥がつばさを半分広げた姿で立っていた。

「子どもにさわるな」

月喰鳥が言った。暗がりの中、月喰鳥の目がめらめらとオレンジ色に燃えさかるのが見えた。

「あのコンビニのやつらの考えか？　わたしがつかまりそうにないから、子どもをつかまえて、おどすつもりか？　ひきょうな！」

月喰鳥が今にも食いつきそうに、カチカチと鋭いくちばしを打ち鳴らした。

「ち、ちがう……子どもがいるなんて知らなくて」

「うそだ！　おまえらはあの妖怪どもの手先だろう！」

「そうじゃないって！」

トモルは妖怪と会話するアサギをあっけに取られて、見ている。

（トモル、びっくりしすぎて、かたまってる……どうしよう）

そのとき、月喰鳥のつばさの後ろから、ぴょこっと小さい顔が現れた。

（ゆうちゃん！）

アサギは声を上げそうになった。

ゆうちゃんはアサギにうなずいてみせると、すっと姿を消した。

（ゆうちゃんが、ついてきてたんだ！　よかった！　ゆうちゃんがきっとツキヨコンビニから助けを呼んでくれる！　ようし、助けが来るまで、月喰鳥を怒らせないようにしなくちゃ）

アサギは、ぐっとおなかの底に力をこめて、月喰鳥に向き合った。

「本当に知らなかったんだよ。月喰鳥さんはお母さんだったんだね。これってベビーベッドのかわりなの？　ふたをしたら小鳥をかくせるし、いいアイデアだね」

アサギが必死で、なんでもないような顔で話を続けた。

すると、月喰鳥の目がふっとやわらいだ。

「子どもの隠れ家兼ベビーフードだ。この食べ物は適度に栄養があって……わたしの子にはちょうどいいんだ」

「だんだん大きい容器のものを持っていくのは、よっぽどカップめんにハマってるのかなって思ってたけど、小鳥が大きくなってきたからなんだね」

「そうだ」

「そうなんだね！」

そこで言葉が切れてしまった。話が続かない。

(早く！　早くだれか助けに来て)

そう思った瞬間、

「ピイッ!!」

容器の中の小鳥が一羽、大きく鳴いた。

「わ！」

おどろいたトモルが、よろめいてカップめんの容器を倒した。倒れた器は箱の下に転がり落ちた。バシャリと中のラーメンスープが床にぶちまけられ、

「「「ピイー!!!」」」

小鳥たちは短いつばさをバタバタさせながら、散らばった。

「あ、れ？」

小鳥の赤い羽の下から、なにかがキラリと青く光るのが見えた。

「この小鳥たちって……ひょっとしたら」

アサギが小鳥に目を凝らして顔を近づけたとき。

「子どもたちに、なにをする！」

月喰鳥の羽毛がごうっと炎のように立ち上がった。月喰鳥は大きく広げたつばさを、ブンと振った。

「わあ！」

ふき飛ばされたアサギは、バシン！　と壁に打ちつけられた。

「……いた……」

ぶつかった瞬間、体がしびれたようになり、しばらく息ができなかった。

「アサギ！　大丈夫？」

トモルがかけよってそう聞いてきたが、アサギは声が出ない。息を整えるのに必死だ。

「……アサギ……」

トモルがゆっくり体の向きを変え、月喰鳥の前に立ちはだかるのが見えた。

「……ちょっとおかしいんじゃないですか？」

トモルの背中も声も震えていた。

「おかしい？　なにが？」

月喰鳥が聞き返した。

「こ、こんなにたくさんカップめん盗んで。ぼくの友だちをひどいめにあわせて。こういうの、お化けだったら許されるの？　盗みも暴力もいいって言うのか？　そんなのダメだろ!!」

トモルが大声で怒鳴った。

「う、うるさい！　人間になにがわかる！」

月喰鳥がかっとくちばしを開け、トモルめがけてつばさを振り上げた。

「トモル！」

アサギが悲鳴を上げた瞬間。

「うぎゃあああおう‼」

月喰鳥の後ろから吠え声が響いて、白いかたまりが飛びこんできた。

月喰鳥のつばさに食らいついたのは、大きな白いねこだった。

「うめ也！」

アサギは大きく息を吸いこんだ。

アサギって何者？

（うめ也……助けに来てくれたんだ！　でも、あのままじゃ勝ち目ない……）

しかし月喰鳥がいくらつばさを振っても、がっちりと食らいついたうめ也ははなれなかった。

「しつこいやつ！　ええい！」

月喰鳥がいらだたしそうに、つばさを大きく振り下ろし、うめ也を床にたたきつけた。

「うめ也!!」

アサギが立ち上がった瞬間、うめ也の姿がふっと見えなくなった。

どろどろどろ……灰色のもやが床から立ちのぼり、ずううんともやの中から巨大なねこが現れた。

蔵の天井をふっ飛ばしそうな勢いで大化けねこになったうめ也は、ぐあああっと真っ赤な口を開けて月喰鳥を威嚇した。

「うめ也！　コンビニの外でも大化けねこになれてる！　すごい!!」

アサギが声を上げたら、

「うめ也おにいちゃん、すっごく妖力アップの修業したんだって」

横から声がした。見るといつのまにかゆうちゃんが、アサギの横でひざを抱えて座っていた。

「ゆうちゃん、うめ也を呼んできてくれたんだね！　ありがとう！」

お礼を言って頭を抱きよせようとしたら、ゆうちゃんが言った。

「ねえ、おねえちゃんのカレシが引っくり返ってるよ！」

「えっ？」

ゆうちゃんの見ている先に目を向けると、トモルが床にへたりこんでいた。

「……かわいいうめ也くんが……ねこ怪獣に……ううん」

そう言いながら、目を回している。

(トモルくん、月喰鳥には立ち向かったのに……。大好きな「うめ也くん」が化けねこになったのが、よっぽどショックだったんだ……)

うめ也はがしんと太い腕で、つばさごと月喰鳥の体を抱えこんだ。

「アサギ！　今のうちにトモルくんを連れて外に逃げるんだ！　妖力が、ここでは長くはもたない！」

うめ也が金色の目玉をぐりぐりと動かして、叫んだ。

「わかった！」

アサギはトモルを助け起こし抱きかかえると、もがく月喰鳥を押さえこんでいるうめ也の横を必死ですりぬけた。とびらを半分開けたままの出入り口が見えたとき、トモルがようやくわれに返った。

「アサギ?!　え？　あの、これ、いったいどうなってるの？」

トモルが巨大化したうめ也と月喰鳥を振り返って、あわあわと言った。

「くわしいことは後で話すけど、うめ也も妖怪なんだよ。で、人外専門のコンビニの店長してる」

早口でそう言った。

トモルは、月喰鳥ともみあっている巨大なうめ也と、アサギの顔を見比べて聞いた。

「そ、そう、なの？　……で、アサギって、何者？　もしかしてアサギも……」

「わたしは人間だって！」

アサギが叫(さけ)んだとき、

「ピギャッ」

足もとで声がした。

見るとビチビチッと、小さいものが床(ゆか)ではね、身をくねらせている。さっき、カップめんの器(うつわ)から落ちた小鳥たちだった。

「やっぱり！　この子たち、ただの鳥妖怪(とりようかい)じゃないよ」

アサギはしゃがんで小鳥たちを指さした。

「ほら、羽の下に魚のしっぽがついてる」

トモルがのけぞった。

「これって……アマビエ？　疫病退散(えきびょうたいさん)のご利益(りやく)があるという妖怪(ようかい)の絵とそっくり！」

「なんで月喰鳥(つきくいどり)の子どもがアマビエなのかはわからないけど、この子たち、このままじゃダメっぽいよね。苦しそう」

小鳥たちは小さいつばさを動かしていたが、ぜんぜん飛び上がれなかった。魚の尾では立つこともできない。苦しそうにビタビタと、床でのたうっている。

「……下半身魚だし、水分のあるところにいないとダメなのかも」

トモルがはっと、手を打った。

「なるほど、それでカップめんの中に入れて育ててたのか！」

「早くカップめんに入れてあげなきゃ」

アサギは着ていたウインドブレーカーのポケットに、ぽいぽいっと小鳥をつかんで入れた。

「カップめん！　うちのキッチンにまだ在庫があるよ！」

二人は小鳥を連れて、同時に走り出した。

「待てえ！　子どもをどこに連れていく！」

月喰鳥がわめいているのが聞こえたが、振り返らずに蔵の外に飛び出した。

（やった！　外に出た！）

真昼の空の下に出た瞬間、うめ也ともつれ合ったまま月喰鳥も蔵の外に転がり出てきた。

月喰鳥は巨大なつばさをバサリと広げ、舞い上がった。

ふっ飛ばされたうめ也は、妖力が切れたのか、元の白ねこの姿になって地面に転がった。

「うめ也！」

「うめ也くん！」

思わず立ち止まった二人の頭上から、太い鉤爪をこちらに向けた月喰鳥が舞い下りてきた。怒りに燃えた目は、本当に炎をふき出しているように見えた。

（つかまる！）

アサギが目をつぶって顔をそむけたときだった。

ドカン！　と真上でなにかがぶつかる音がして、月喰鳥が悲鳴を上げるのが聞こえた。

「え？」

アサギが顔を上げると、大きな岩がドカンドカンと続けざまに月喰鳥めがけてぶつかっていた。

五個目の岩がぶつかったとき、月喰鳥はキュウッと短い声を発して、アサギたちのすぐ横にドタッと落ちた。

「え、え、え？」

地に落ちた月喰鳥は羽を広げて倒れたまま、しゅるしゅると縮んで見るまにごく小さな鳥……いちご鳥の姿になった。

月喰鳥を打ち落とした岩たちは、地面に次々と着地すると、アサギの方に向かって、一列に並んでごろんごろんと転がってきた。

「おい、大丈夫だったか？」「アサギさんよ」「と、そのお連れの方」「ケガはなかったか？」「なかったか？」

話しかけてきたのは、ツキヨコンビニの常連客、五人で一つの灯籠になる岩石妖怪のトウロウ5さんだった。

「トウロウ5さん！　助けに来てくれたの？　ありがとう！」

「いやいや」「おれたち、ここのお庭でくつろいでたら」「やたら騒がしいじゃねえか」「ようすを見に来たら」「こんなこった」

岩石妖怪たちは、こんなことなんでもないぜとけんそんしながら、景山家の庭の奥に転がっていった。そしてカチカチッと体を合わせて風情ある石灯籠の形になり、なにごともなかったように庭の風景に溶けこんだ。

「……うちの庭に……灯籠の妖怪？　いつからいたんだろ……。今の妖怪もアサギの知り合いなの？」

あっけにとられて灯籠をながめていたトモルが、アサギにたずねた。

「妖怪コンビニ……ツキヨコンビニの常連のお客さんなんだ」

「アサギもそのコンビニの常連客なの？」

「うん。で、コンビニ・アドバイザーもやってる……」

「……妖怪コンビニの常連客でアドバイザー」

トモルが絶句したときだった。

「みなさん、ごくろうさまでした」

二人の前に、黒い帽子にコートをはおった老人がすいっと現れた。

「おかげさまで月喰鳥はつかまえることができました」

コートのかげから、いちご鳥が入った霊かごを取り出して見せた。

「今度はだれ？」と、目で聞いてきたトモルに、アサギは小声で
「ツキヨコンビニの社長の宵一さんだよ」

「うめ也店長もケガの手当てをしないといけませんし、ゆうちゃんもトウロウ5さんも、……みなさんよろしければツキヨコンビニでひと息、つきませんか？」

宵一さんはそこでトモルの方に顔を向け、帽子をぬいであいさつした。

「初めまして、アサギさんのお友だちですね。おうわさは聞いてますよ」

「うわさ？　ぼくが？　妖怪コンビニでうわさになってる？」

トモルは、目に粉末スープでも入ったみたいに激しくまばたきした。宵一さんは目尻にしわを寄せて、にっこりと微笑んだ。

「アサギさんのビジターとしてご招待いたしますので、ぜひ、当店、ツキヨコンビニにいらしてください。なんでもごちそういたしますよ。ああ、その小鳥の保護用のカップめんはお店で提供しますし、それにもしご興味があればですが、うちの商品のカップめんを、お好きなだけさしあげます」

「え、妖怪コンビニのカップめんを？」

トモルが即答した。

「行きます！　行きたいです！」

ツキヨコンビニにようこそ!!

それから、みんなでツキヨコンビニに行った。

宵一さんは、月喰鳥を連れてバックヤードへ消え、イートインスペースに案内されたトモルは、店長姿のうめ也に感激した。

「ツキヨコンビニにようこそ、トモルさん」

「……どうも……。う、うわあ、うめ也くん、本当に店長なんだ！　わ、わあ、いい体格……エプロン、似合ってる……」

「おにいちゃん、こんにちは！」

ゆうちゃんは、トモルに飛びついた。

「こ、こんにちは。アサギ、えっと、この女の子も？　妖怪？」

「ああ、ゆうちゃんだよ。うちの郵便受けに住んでるユーレイ。今までそばにいたんだけど、トモルには見えなかったし声も聞こえなかっただけだよ」

「へ、へええ。アサギ、ユーレイとも仲良しなんだ……」

トモルが絶句している間にアサギは氷くんに声をかけた。

「あのさ、『まんぷくチャーシューめん1.5倍サイズ』に大急ぎでお湯を入れてくれない？月喰鳥の子どもたちを入れてやらないと！」

カップめんの器に入った四羽の小鳥たちは、よほどおなかがすいていたのか、めんもチャーシューもあっというまに食べつくし、満腹になると、ことんと眠りに落ちた。

そうこうしているうちに、土羅蔵さん一家とばなにーさんがやってきた。

トモルにみんなを紹介したが、トモルはもう、そんなにおどろかなかった。氷くんともちこちゃんが紹介する、人外向けの珍しいカップめんに夢中だったからだ。

トモルがカップめんのことに夢中になっている間、アサギたちはラーメンスープに尾をひたし、気持ちよさそうに眠っている、小鳥たちをながめていた。

「まさかカップめんの中に子ども入れて育ててたなんてねえ」

美射奈さんが言い、

「でも、月喰鳥の子なのに、なんで下半身が魚なのかな？」

絵笛芽羅さんが首をかしげた。

「……父親が……月喰鳥族じゃないからかも」

花美羅さんがみょうにおさえた低い声で言った。

「この子たちの、キラキラした青いうろこのしっぽ……碧魚族に似てるし」

「碧魚族!!!」

美射奈さんと絵笛芽羅さんが、ほほに手を当てて高い声を上げた。

「碧魚族は人魚の中でも特に美形で有名だよね！」

「歌がうまくて優しくってステキだって！」

「えー、ゆうちゃん、カッコいい人魚会ってみたい！」

ゆうちゃんもいっしょに叫んで、空中にのび上がった。

「人魚はダメだよ。父親向きじゃない。気が向いたらどこかに行って帰ってこないし、海しか愛してない」

吐き捨てるように花美羅さんが言ったので、美射奈さんと絵笛芽羅さんが顔を見合わせた。

「花美羅おねえちゃん……なんでそんなに人魚のことよく知ってるの？」

「もしかしてだけど、おねえちゃんが大ゲンカした元カレって人魚なの？」

すると娘たちの話を聞いていた土羅蔵さんが、もともとが青白い顔色を黒紫にして立ち上がった。

「花美羅、それは本当なんですか？　だとしたら許しがたいことです！　人魚の男など、土羅蔵の一族とは相いれません！　そのようなおろかなまねをしたら、大変なことに……」

「……その通りです」

小さな声が土羅蔵さんの後ろから聞こえた。

「その方のおっしゃる通りです。わたしはおろかにも碧魚の子どもを産んで大変なことに……月喰鳥の一族にも見捨てられ、鳥魚の子どもを一人でどう育てていいかもわからないまま、こんなことになりました……」

声のする方には、だれの姿も見えない。

（今の女の人のきれいな声……まさか）

アサギがそう思ったとき、

「もちこちゃん、天井の角をふさいでくれるかな？」

バックヤードから現れた宵一さんが言った。もちこちゃんはすぐにキュルッと壁をはいのぼり、体を薄く広げて壁紙のように、天井のめくれたところをおおった。

月夜がかくされたとたん、宵一さんの横にすうっとだれかの姿が現れた。

そこに立っていたのは、いちご色の瞳に、腕や背中に赤い羽毛をまとった美しい人だった。つややかな赤金色の長い髪はキラキラと、鏡のように店の照明を反射している。

「も、もしかして月喰鳥……さん？」

アサギが聞くと、月喰鳥は
「はい……」

消え入りそうな声で返事してうなだれた。

（こ、こんなきれいなおねえさんだったのか！）

宵一さんが説明した。

「彼女が盗みを働いた理由は、今聞いた通りです。それでカップめんの代金は、玉兎さんに役所への代理申請をお願いして、人外一人親援助金からいただくことにしました」

「それじゃ、月喰鳥さんは本部には連れていかないんですか？」

うめ也がたずねた。

「ああ、商品の代金をいただけるのなら店の被害はそうひどくなかったし、事情を聞けばお気の毒だよ。申請したら援助金をもらえることも、それどころかもともとＪペイの存在もよく知らなかったそうだ」

宵一さんが言い、みんな顔を見合わせた。

「みなさまには、本当にご迷惑をおかけしました。わたしの子どもを、そんなふうに……気遣ってくださって、ありがとうございます」

月喰鳥はそう言うと、カップめんの器の中で、すやすやと眠っている小鳥たちをいとおしそうに見つめた。

「そんなの！　だってこんな小さい子たちが、苦しそうにしてたらふつう助けるよ」

アサギがぱたぱたと手のひらを振った。

「かわいいもんねえ」

「ずっと見てられるよね」

「みんな、ラブリーでいい子たちじゃん！」

土羅蔵姉妹が口々に子どもをほめた。

「……それ、ほんとですか？　わたしの子、かわいい……ですか？」

月喰鳥が目を大きく開いて聞き返した。

「ほんとにかわいいよ！　かわいいよね？」

花美羅さんが妹二人にそう聞くと、

「うん、そうだよ」

「めっちゃかわいいよ」

美射奈さんと絵笛芽羅さんがうなずき合い、ばなにーさんも続けて言った。

「赤い羽と青いうろこの取り合わせがすばらしい、オシャレな子たちだよ！」

「ああ……ありがとうございます」

月喰鳥は目に涙を浮かべた。

「今までだれも……家族も、月喰鳥の仲間も、その子たちのこと……ほめてくれませんでした。ほめるどころか、気味が悪いって……」

「ちょっと、その家族ひどくない？　仲間もサイテー！」

「頭くるよね！　月喰鳥さん、あのさ、よかったらいつでもここに来なよ。わたしたちが子ども、見てあげるから。ワンオペ育児は大変だよ！」

「美射奈、絵笛芽羅、いいこと言ったね。月喰鳥さんそうしなよ。それに子どもにどんどんカップめんを買ってあげなきゃでしょ？　社長さんに頼んで、ここでやとってもらったら？」

花美羅さんが宵一さんとうめ也の方をちらっと横目で見た。

「それがいいよ！」

アサギもうなずいた。

「うちのママだって、今、勤めてる病院、みんなが助けてくれるいい職場だって言ってるよ。そういうの、大事だと思う！」

「やれやれ、女性陣の意見は全員一致ですね」

宵一さんが肩をすくめた。

「じつは玉兎さんも同じ提案をしてましてね。うめ也店長、いかがですか？」

「……ぼくは、月喰鳥さんに警備をまかせられたらと思います。ときどきですが万引きがあるし、閉店後にぼくが見回りするのも限界があるんで」

うめ也がうなずいた。

「なるほど！　彼女は店内で姿も消せるし、攻撃力も高い。警備には適任だ。では警備員として採用しましょう」

宵一さんの決断に、みんないっせいに拍手した。

棚の前で、カップめんを両手に持っていたトモルも、いったんカップめんを棚にもどしていっしょに拍手した。

「仕事が決まりゃあ、お次は住むとこだ」「どうでい、月喰鳥さん、今んとこにそのまま住まわせてもらうってのは」「オレたちも、あそこん家のお庭にいるから」「なんかあったら頼ってくれたらいいしよ」「いいしよ」

今までみんなの話を聞いていた、トウロウ5さんたちが、ゴロゴロと体をゆすりながら言った。

今度はみんながいっせいに、カップめんを手に棚の前にいたトモルに注目した。

「今んとこにそのままって……？」

にこにこして話を聞いていたトモルは、首をかしげた。それからはっと気がついて叫んだ。

「えっ、月喰鳥さん一家がぼくん家の蔵に住むってこと?!」

「トモル、お願いできないかな。もともと、トモルの家の庭には、トウロウ5さんが住んでるぐらいだし、静かで妖怪が住みやすい環境だって思うんだ」

アサギはトモルに手を合わせて頼んだ。

「そ、それはそうかもだけど、ええと」

首をかしげながら、だんだんトモルの顔色が青白くなってきた。

「……なんか、ぼく、気分が悪くなってきたかも」

トモルはふっと口を閉じると、あおむけに引っくり返った。

アサギの未来は？

「トモル、もう大丈夫？」

ツキヨコンビニからの帰り道、アサギはトモルに言った。

「ツキヨコンビニって異界だからさ、ふつうの人はツキヨコンビニに長くいると、だんだん気分が悪くなったり、ちょっと弱ってくるっていうの、すっかり忘れてて。ごめんね！」

「いや、もう、ぜんぜん大丈夫だよ！　こんなに貴重なカップめん、たくさんもらっちゃったし！」

カップめんでぱんぱんにふくらんだレジ袋をかかげて、トモルは笑った。確かに、貧血を起こして真っ白だった顔色も、もとにもどってほっぺたに赤みもさしている。

「月喰鳥さんの下宿の件も……無理にお願いした感じになってごめん」

「ううん。もともと石灯籠も妖怪だったんだしさ、うちの庭に妖怪が増えてもなにも問題なしだよ！　うめ也くんがいろいろ考えてくれたしさ」

月喰鳥さんが景山家の蔵に住むにあたって、うめ也がいろいろ約束事を決めた。

蔵から出入りするのを人に見られないようにすること。特にお父さんにはバレないように、できるだけ静かにすごすこと。小鳥が食べたカップめんの容器は、きちんとゴミに出すなどなど。

「うめ也は、そういうのきびしいし、細かいんだよね。そのうち、トモルに宿題をちゃんとやったかどうかも、聞いてくるかもだよ」

「あはは、うめ也くんとまた話せるんだったら、なんだってかまわないよ」

トモルは笑った。

トモルの家に向かう分かれ道が近づいてきた。アサギはふいに口をつぐんで、足を止めた。

「……あのさ、その、一つ聞きたいことがあるんだけど……」

言いにくそうに言葉をつまらせるアサギに、トモルは言った。

「ツキヨコンビニのことも、うめ也くんのことも、だれにも言わないよ。心配しないで」

「それは心配してないよ。トモルのこと信用してるし。そうじゃなくてあの……」

アサギは、思い切って、引っかかっていたことを口に出した。

「わたしとまだ友だち？」

トモルは、へえっ？　っと、ちょっとまぬけな顔をした。

「まだ友だちって？　友だちだよ。そりゃそうでしょ」

「まだふつうに話せる？　あんなことがあって、怖かったでしょ？　ツキヨコンビニでは ちょっとだけど、具合が悪くなりかけたし。わたしは平気なんだけど……」

「月喰鳥さんが怒ったとき、怖かったのは、アサギも同じだよね？　だけど、ツキヨコン ビニにはまた行きたいよ。それに」

「それに？」

「アサギとは、これからも話したいことがいくらでもあるよ」

トモルが言い、

「……そうだね」

アサギは、うんうんとうなずいた。

せいいっぱい、ふつうの返事をしたが、胸の中で小さい花火がぽんぽん上がっているみたい。とてもとても、うれしかった。

「じゃあね。また明日学校でね」

「うん。また明日！」

トモルと別れて、アサギが歩き出すと、すとんと肩の上にゆうちゃんが腰を下ろした。

「おねえちゃんのカレシって……」

「カレシじゃないってば！」

最後まで聞かずにそう言い返したけれど、かまわずゆうちゃんは言った。

「おねえちゃんのカレシって、いい友だちだね！」

「……いい友だち。うん、そうだよ」

アサギはそこは認めて、うなずいた。

（「アサギとは、これからも話したいことがいくらでもあるよ」だって。わたしもだよ！

もう、めっちゃいっぱい、話したい！）

そんなことを考えながら、ゆっくり、ぽてぽてと歩き、マンションの前に着くと、チドリさんがアサギの顔を見るなりこう言った。

「アサギちゃん、なにかいいことあったのね？　ピカピカの笑顔よ！」


その夜のツキヨコンビニ。

精算とそうじをすませた氷くんともちこちゃんが帰ったら、店はとても静かになった。

月喰鳥一家の世話を、いったん玉兎さんにあずけた後、宵一さんはまた店にもどってきた。

カウンターまわりをせっせと片づけるうめ也に、宵一さんが話しかけた。

「あの少年は、とても心根のいい子だね。アサギさんも人間の友だちができて、とても楽しそうだった」

「はい、ぼくもそう思います」

うめ也は、大きくうなずいた。

「これはアサギさんの分かれ道になるかもしれないね」

「どういうことですか？」

いそがしく動かしていた手を止めて、うめ也はたずねた。

「このままアサギさんが、トモルくんとどんどん仲良くなって、楽しいことが増え、将来の夢ができ……この世の未来に希望ができれば、アサギさんは、今のようではなくなるかもしれない」

「今のようとは……ツキヨコンビニにいればいるほどパワフルになって……異界でおおいに力が発揮できる……そういう人間でなくなるということですか？」

うめ也は宵一さんの顔を見つめた。

「そうだね。アサギさんの気持ちが完全にこの世に向いたら、もうツキヨコンビニにも入れなくなるだろうし……ううん」

宵一さんは、腕組みしてうなった。

「わたしとしては、アサギさんは異界とこの世をつなぐ役割ができる、貴重な人材だと思うから、そうなったら残念だがね。白ねこくんはどう思う？」

「ぼくは……」

うめ也は、カウンターをみがいていたダスターをぎゅっとにぎりしめた。

「……見守ります。それしかできない」

「そうだな。どの道にしろ、決めるのはアサギさんだ」

宵一さんがそう言って、天をあおぎ見た。

天井の向こうの白い月は、よりいっそう夜空に映えて美しかった。

つづく

令丈ヒロ子

れいじょう　ひろこ

作家。大阪府生まれ。おもな作品に「若おかみは小学生！」シリーズ、『パンプキン！ 模擬原爆の夏』『長浜高校水族館部！』『よみがえれマンモス！ 近畿大学マンモス復活プロジェクト』（以上、講談社）、『妖怪コンビニで、バイトはじめました。』（あすなろ書房）がある。2018年、「若おかみは小学生」シリーズがテレビアニメ化、劇場版アニメ化されて大きな話題になった。『病院図書館の青と空』（講談社）は、第39回うつのみやこども賞を受賞。

妖怪コンビニ③
カップめんオバケ事件

2023年10月30日　初版発行

著者　令丈ヒロ子
画家　トミイマサコ
装丁　城所潤
発行者　山浦真一
発行所　あすなろ書房
〒162-0041 東京都新宿区早稲田鶴巻町551-4
電話 03-3203-3350（代表）
印刷所　佐久印刷所
製本所　ナショナル製本

ISBN978-4-7515-3175-4 NDC913 Printed in Japan